Wirtschaftlichkeit durch Qualitätsmanagement

Ausgearbeitet von

der Arbeitsgruppe 17 „Qualitätsbezogene Kosten"
Deutsche Gesellschaft für Qualität e.V.
August-Schanz-Straße 21A, D-60433 Frankfurt am Main

DGQ-Band Nr. 14–18
Wirtschaftlichkeit durch Qualitätsmanagement

1. Auflage 1995

Hrsg.: Deutsche Gesellschaft für Qualität e.V. Ffm.
Berlin, Wien, Zürich: Beuth Verlag GmbH
1995, 124 S., A5, brosch.
ISSN 0949-4782
ISBN 3-410-32888-2

Haftungsausschluß

DGQ-Bände sind Empfehlungen, die jedermann frei zur Anwendung stehen. Wer sie anwendet, hat für die richtige Anwendung im konkreten Fall Sorge zu tragen.

Die DGQ-Bände berücksichtigen den zum Zeitpunkt der jeweiligen Ausgabe herrschenden Stand der Technik. Durch das Anwenden der DGQ-Empfehlungen entzieht sich niemand der Verantwortung für sein eigenes Handeln. Jeder handelt insoweit auf eigene Gefahr. Eine Haftung der DGQ und derjenigen, die an DGQ-Empfehlungen beteiligt sind, ist ausgeschlossen.

Jeder wird gebeten, wenn er bei der Anwendung der DGQ-Empfehlungen auf Unrichtigkeiten oder die Möglichkeit einer unrichtigen Auslegung stößt, dies der DGQ umgehend mitzuteilen, damit etwaige Mängel beseitigt werden können.

Die Deutsche Bibliothek – CIP-Einheitsaufnahme

Wirtschaftlichkeit durch Qualitätsmanagement / ausgearbeitet
von der Arbeitsgruppe 17 "Qualitätsbezogene Kosten".
Deutsche Gesellschaft für Qualität e.V. –
1. Aufl. - Berlin : Beuth, 1995
(DGQ-Band : 14,18)
ISBN 3-410-32888-2
NE: Deutsche Gesellschaft für Qualität / Arbeitsgruppe Qualitätsbezogene Kosten;
   Deutsche Gesellschaft für Qualität: DGQ-
   Band

Nachdruck und Vervielfältigung nur mit schriftlicher Einwilligung der DGQ © 1995

Inhalt

Vorwort 5

1 Einleitung 7
1.1 Ausgangssituation 7
1.2 Zielsetzung dieses Bandes 8

2 Qualität – der Erfolgsfaktor in jeder Organisation 9
2.1 Erfolgsfaktor Qualität 9
2.2 Kundenzufriedenheit durch Qualität 10
2.3 Strategische und Operative Unternehmensziele 11

3 Matrix zur Analyse des Unternehmensprozesses nach Bewertungskriterien 14
3.1 Allgemeines 14
3.2 Aufbau der Matrix 15
3.3 Anwendung 16

4 Beeinflussen der Wirtschaftlichkeit durch Qualitätsmanagement 19
4.1 Wirtschaftlichkeitsbetrachtungen 19
4.2 Methodisches Vorgehen 20
4.2.1 Einschlägige normative Orientierung 20
4.2.2 Randbedingungen 21
4.2.3 Schritte methodischen Vorgehens 22
4.2.4 Anwendung im Problemlösungsprozeß 22
4.3 Auswahl von Kriterien der Wirtschaftlichkeit 23
4.4 Planung quantitativer Wirtschaftlichkeitsziele 29
4.5 Erfassen und Auswerten der Bewertungsgrößen 33
4.5.1 Allgemeines 33
4.5.2 Randbedingungen und Voraussetzungen 33
4.5.3 Einzelheiten zur laufenden Ermittlung der Fehler und deren Kosten 34
4.5.4 Erfassen der Personalkosten 36
4.5.5 Erfassen der Material-, Sach- und sonstigen Kosten 36
4.5.6 Einzelheiten zur Voruntersuchung 37
4.5.6.1 Ziel der Voruntersuchung 37
4.5.6.2 Durchführen der Voruntersuchung 38
4.6 Kennzahlen 41
4.7 Einflußnahme auf die Wirtschaftlichkeit 44
4.8 Berichtswesen zu Fehlerkosten 48
4.8.1 Einführung 48
4.8.2 Hierarchische Gliederung von Fehlerkostennachweisen 50
4.8.3 Darstellungsform 51

4.8.4	Längsvergleich der Fehlerkostennachweise	52
4.9	Nutzen aus den Fehlerkostennachweisen	52
5	**Anwendungsbeispiele**	**54**
5.1	Matrix zur Analyse des Untenehmensprozesses nach Bewertungskriterien	54
5.2	Anwendungsbeispiel der Fa. Dasa	56
5.3	Beispiel eines Leitfadens zur Erfassung und Berichterstattung der Fehlleistungskosten	60
5.4	Beispiel zum kostenorientierten Qualitätsmanagement	68
6	**Literatur**	**74**
7	**Stichwortverzeichnis**	**76**
8	**Anhang**	**77**
8.I	Begriffe	77
8.II	Matrix zur Analyse von Unternehmensprozessen	95
8.III	Ausgewählte Beispiele zu Kennzahlen	116

Vorwort

Angesichts der wirtschaftlichen Entwicklung wird die Qualität eines Angebotsproduktes als wettbewerbsentscheidendes Kriterium unter den Fachleuten nicht mehr in Frage gestellt. Eine konsequente Orientierung an den Forderungen des Kunden und die Würdigung des besonderen Gewichts der unternehmerischen Verantwortung für den wirtschaftlichen Einsatz der Ressourcen, um langfristig den Bestand des Unternehmens und der Arbeitsplätze zu sichern, ist Allgemeingut.

Im Bereich der internationalen Normung ist man bemüht, diese Zusammenhänge durch ein entsprechendes Gedankenmodell zu verdeutlichen. Abschließende Erkenntnisse konnten in diesen Gremien bisher nicht gefunden werden.

Auf der Grundlage der Ergebnisse vieler wissenschaftlicher Untersuchungen zu diesem Thema ist festzustellen, daß in vielen Unternehmen qualitätsbezogene Kosten nicht bekannt sind bzw. Betrachtungen zur Wirtschaftlichkeit in dem geschilderten Sinn nicht angestellt werden. Damit wird ein strategisches Element für die Steigerung der Wirtschaftlichkeit außer acht gelassen.

Qualitätskosten wurden im Rahmen des Qualitätsmanagements von Arbeitsgruppen der DGQ frühzeitig betrachtet. Die erste Auflage der DGQ-Schrift 14–17 „Qualitätskosten" stammt aus dem Jahre 1973. Die in den Folgejahren übliche Betrachtungsweise hat in manchen Fällen zu der irrtümlichen Annahme verleitet, eine Optimierung der Aufwendung für Fehlerverhütung führte zwingend zu einer Minimierung der qualitätsbezogenen Kosten.

Der gedankliche Ansatz des nun vorliegenden Bandes geht von einer wirtschaftlichen Betrachtungsweise aus und hat zum Ziel, Empfehlungen für den Praktiker für die Planung, Bewertung und Steuerung des QM-Systems auszusprechen. Im Hinblick auf die in der Fachwelt noch nicht abgeschlossene Diskussion zum Thema „Qualitätsbezogene Kosten" versteht sich der vorliegende Band als ein Beitrag zu dieser Diskussion.

Sie richtet sich an alle Fachleute und Interessenten und im besonderen an diejenigen, die in der Unternehmensleitung als Q-Beauftragte, Leiter des Qualitätswesens, im Finanz- und Rechnungswesen oder im Verkauf und Vertrieb für die Umsetzung der Unternehmensziele verantwortlich sind.

Die DGQ dankt den Mitarbeitern der AG 17 „Qualitätsbezogene Kosten" für die gründliche und ausdauernde Bearbeitung dieses Themas.

Herr F. Bieber	Det Norske Veritas Zertifizierung GmbH	Essen
Herr Dipl.-Ing. (FH) L. Emmerich		Mutlangen
Herr Dipl.-Ing. K. Groß	Institut für Umformtechnik	Lüdenscheid
Herr Dr.-Ing. M. Hartl		Duisburg
Herr Dr. rer. nat. H. Hinrichs	Hoechst AG	Frankfurt/Main
Herr Dipl.-Ing. B. Hoh		Oregon/USA

Herr Dipl.-Ing. B. Kaiser	Hauptverband der Deutschen Bauindustrie e.V.	Wiesbaden
Herr Dipl.-Betrw. S. Kneis	SAP AG	Walldorf
Herr Dipl.-Ing. H. Niebler		Lampertheim
Herr Dr.-Ing. K. Pohl	Robert Bosch Fahrzeugelektrik Eisenach GmbH	Eisenach
Herr Dipl.-Ing. M. Reiter	Lemförder Metallwaren Jürgen Ulderup AG & Co.	Lemförde
Herr Betrw. H. Sauter	SKF GmbH	Schweinfurt
Herr Dipl.-Ing. M. Schubert	Siemens AG	München
Herr Dr. rer. nat. H. Strothenk	ContiTech Holding GmbH	Hannover
Frau P. von Hassel	TU Hamburg Harburg	Hamburg
Herr Dr.-Ing. G. Zemann	Umformtechnik Erfurt GmbH	Erfurt

Der besondere Dank des Vorstands der DGQ gilt der Autorengruppe, die es übernommen hat, die in der Arbeitsgruppe entwickelten gedanklichen Ansätze in zusammenhängende Textabschnitte zu fassen.

Herr Dipl.-Ing. K. Becker (Obmann)	Daimler Benz Aerospace (LFK GmbH)	Schrobenhausen
Herr Dr. rer. pol. J. Bröckelmann	Universität Dortmund	Dortmund
Herr Prof. Dr.-Ing. W. Geiger		München
Herr Prof. Dr. sc. oec. H.-J. Jacobi	TU Dresden	Dresden
Herr Dr.-Ing. A. Laschet	AP Part Europe GmbH	Alsdorf
Herr A. Schmank	Dr. Sauermann & Partner GmbH	Bad Homburg
Frau Dr.-Ing. A.-K. Tomys-Brummerloh		Ennigerloh
Herr Dipl.-Kfm. G. Ullmann	Siemens AG	München
Herr P. Wintzer		Gensingen

Mit diesem Band werden dem Leser in Form eines Zwischenberichts Anregungen für die Integration qualitätsbezogener Kosten in bestehende Informationssysteme und für die Bewertung des Qualitätsmanagements durch die Unternehmensleitung an die Hand gegeben, womit ein Beitrag für die Steuerung der Wirtschaftlichkeit im Unternehmen geleistet wird.

Frankfurt am Main, im November 1995

Deutsche Gesellschaft für Qualität e.V.

Dipl.-Kfm. Karl J. Ehrhart
Vorsitzender

1 Einleitung

1.1 Ausgangssituation

Ein Unternehmen ist auf Dauer nur dann erfolgreich, das heißt es erwirtschaftet einen Gewinn, wenn es Produkte anbieten kann, die bei potentiellen Kunden durch Preis, Lieferzeit und Beschaffenheit genügend Kaufanreize auslösen. Durch die immer schärfer werdende Wettbewerbssituation sowie die steigenden Verbraucherbedürfnisse übernimmt die Qualität der Produkte mehr und mehr eine Schlüsselfunktion; deren Beurteilung wird zum unternehmerischen Erfolgsmaßstab.

Diese Entwicklung wird überlagert von einem Umdenkungsprozeß, der eine konsequente Orientierung an die Forderungen des Kunden notwendig macht. Diese Kundenausrichtung impliziert eine Erweiterung des Qualitätsdenkens innerhalb der gesamten Organisation (z. B. Unternehmen, Körperschaften des öffentlichen Rechts etc.).

Organisationen stehen heute häufig vor der Aufgabe, ihre Kosten in Größenordnungen von 30 Prozent und mehr in kürzester Zeit zu senken, um wettbewerbsfähig zu bleiben. Durch eine Vielzahl von Untersuchungen, die in den letzten Jahren in unterschiedlichen Unternehmen durchgeführt wurden, wird die Bedeutung qualitätsbezogener Kosten deutlich. Auffallend ist, daß fast die Hälfte der analysierten Unternehmen ihre anfallenden qualitätsbezogenen Kosten nicht kennt und daher in den wenigsten Fällen in der Lage ist, diesbezüglich gezielte Verbesserungsmaßnahmen zu ergreifen. Qualitätsbezogene Verluste inkl. Fehlerkosten stellen ein erhebliches Potential für solche Kostensenkungen dar. Der herkömmliche Fehlerkostenbegriff [0] ist für die Ausschöpfung dieses Potentials nicht ausreichend.

Die bisherige Unterteilung herkömmlicher „Qualitätskosten" in Fehlerverhütungs-, Prüf- und Fehlerkosten kann zu einer Desorientierung und damit zu Fehlinterpretationen führen. So wurde versucht, die Aufwendungen zur Fehlerverhütung bis zu einem Optimum zu steigern, um damit die gesamten Qualitätskosten zu minimieren. Die Schwierigkeiten und Fehlentscheidungen, die mit diesem gedanklichen Ansatz verbunden sind, haben viele Leser selbst erfahren können.

„Fehlerkosten" wurden in der Vergangenheit schwerpunktmäßig in Fertigung und Montage gesehen (z. B. Ausschuß, Nacharbeit). Fehler in vorgelagerten und nachgelagerten Funktionsbereichen wurden nur beachtet, wenn Analysen in diesen Bereichen direkt auf solche Fehlerursachen hinwiesen.

Mit Einführung der Reihe ISO 9000 ff. sowie eines umfassenden Qualitätsmanagements TQM, rückt die gesamte Organisation (z. B. Unternehmen, Körperschaften des öffentlichen Rechts) in die qualitätsbezogene Wirtschaftlichkeitsbetrachtung: Neben der Herstellung bzw. Leistungserbringung werden alle weiteren Funktionen einer Organisation und alle Hierarchieebenen einbezogen.

Die Dynamik der Wissensentwicklung ist so groß, daß Entscheidungen und Regelungen innerhalb weniger Jahre für Organisationen korrekturbedürftig werden und ohne Korrektur hohe Fehlerkosten verursachen. Der Stand der Technik ist daher von allen Organisationen laufend auf allen relevanten Gebieten zu verfolgen, auf seine Auswirkungen hin zu überprüfen und im strategisch sinnvollen, wirtschaftlichen Umfang zu realisieren.

1.2 Zielsetzung dieses Bandes

Ziel dieses Bandes ist es, eine Handlungsanleitung für den Praktiker bereitzustellen, mit deren Hilfe eine Planung, Bewertung und Steuerung des Qualitätsmanagementsystems unter wirtschaftlichen Aspekten durchgeführt werden kann. Unter Qualitätsmanagementsystem (nachfolgend kurz „QM-System) werden die qualitätsbezogenen Tätigkeiten aller Prozesse einer Organisation und die dazu erforderlichen Mittel verstanden.

Mit diesem Band sollen diejenigen angesprochen werden, die Verantwortung für die Qualität und die Wirtschaftlichkeit in Organisationen wahrnehmen. Dies sind neben der obersten Leitung (z. B. Geschäftsführung, Vorstand) alle Führungskräfte und Mitarbeiter einer Organisation.

Diesem Band können Controllinginstrumente entnommen werden, mit deren Hilfe nicht nur Teilbereiche optimiert werden sollen, sondern das unternehmerische Gesamtziel erreicht wird. Da es nicht zweckmäßig ist, ein vollständig eigenständiges Bewertungsinstrumentarium aufzubauen, werden Hinweise zur datentechnischen Integration in die in der Organisation vorhandenen Systeme gegeben (z. B. Rechnungswesen, PPS-System, DV). Auf Schlüssigkeit und Transparenz der zu ermittelnden Kenngrößen wird hierbei großer Wert gelegt.

Auf der Basis einer Darstellung der Unternehmensprozesse (Matrix, siehe Kapitel 3) soll drei wesentlichen Fragestellungen innerhalb dieser Schrift nachgegangen werden:
- Wie können qualitätsbezogene Kosten nach Möglichkeit durch Integration in die bestehenden Informationssysteme erfaßt werden?
- Wer im Unternehmen soll für die Erfassung und Auswertung qualitätsbezogener Kosten zuständig sein?
- Welche Aussagen (monetäre und nicht monetäre Kennzahlen) sind erforderlich, um einerseits in der obersten Geschäftsleitung der Organisation die Bedeutung des Qualitätsmanagements angemessen darzustellen und andererseits alle Mitarbeiter der Organisation zur Erfüllung der Qualitätsforderungen zu motivieren?

Hierzu soll dieser Band dem Leser praxisbezogene Hinweise geben.

Die erarbeiteten Vorschläge betreffen nicht nur Methoden der Kostenerfassung und -auswertung. Sie müssen generell an die Situation in der jeweiligen Organisation angepaßt werden. Hinweise zu fachlichen, funktionalen Verbesserungen werden nur beispielhaft gegeben. Hier ist individuell der Stand der Technik und der Wissenschaft zu ermitteln und zu nutzen.

2 Qualität – der Erfolgsfaktor jeder Organisation

2.1 Erfolgsfaktor Qualität

Langfristiger wirtschaftlicher Erfolg ist die zentrale unternehmerische Zielsetzung. Er läßt sich nur erreichen, wenn das Unternehmen für Kunden wirtschaftliche Problemlösungen erbringt und den gesellschaftlichen Wertevorstellungen und Erwartungen entspricht. Dazu muß die Unternehmung in der Lage sein, ihre gesamten Unternehmensprozesse auf dieses Ziel hin zu planen, zugleich aber auch für deren ökonomische Realisierbarkeit zu sorgen.

So wie Qualität allgemein „die Erfüllung von Vereinbarungen und Erwartungen" bedeutet, ist die Unternehmensqualität die Erfüllung von Vereinbarungen mit und Erwartungen von Kunden, Lieferanten, Mitarbeitern, Kapitalgebern und der Gesellschaft. Wenn nur bei einer dieser Gruppen Vereinbarungen oder Erwartungen nicht oder nur teilweise erfüllt werden, ist der langfristige wirtschaftliche Erfolg nicht zu erwarten. Es ist daher wichtig, die Anforderungen und Erwartungen der unterschiedlichen Gruppen an das Unternehmen explizit zu kennen und den Erfüllungsgrad zu verfolgen. Ein sinkendes Unternehmensimage sowie abnehmende Marktanteile zeigen die negativen Konsequenzen von Fehlern auf. Diese können letztendlich die Existenz der Unternehmung gefährden. Andererseits liegen in der konsequenten Ausrichtung des Unternehmens auf die Anforderungen der Kunden enorme Marktpotentiale und gleichzeitig Möglichkeiten zur internen Reduktion von Kosten.

Die DIN EN ISO 8402 definiert qualitätsbezogene Kosten und Verluste folgendermaßen:

„Kosten, welche durch das Sicherstellen und Sichern zufriedener Qualität verursacht sind, als auch die Verluste infolge des Nichterreichens zufriedenstellender Qualität."

Die Verluste[*]) (vgl. Anhang „Begriffe") in Folge des Nichterreichens zufriedenstellender Qualität lassen sich, bezogen auf die Wertschöpfung des Unternehmens, durch unterschiedliche Dimensionen charakterisieren. So kann einerseits zwischen internen (interne Fehlerkosten) und externen Verlusten (entgangener Gewinn) und andererseits zwischen monetären (Fehlerkosten) und zunächst nicht monetären Verlusten (Sinken der Kundenzufriedenheit) differenziert werden.

Die externen Verluste resultieren in erster Linie aus unzufriedenen Kunden und können in ihrer Auswirkung fatale Konsequenzen für das Unternehmen haben (vgl. Bild 2.1).

Unzufriedene Kunden führen demnach zu einem verschlechterten Qualitätsimage, welches letztendlich gemäß Bild 2.2 (Seite 12) zu einer Reduktion des Gewinns führt. Die Verluste im Betrieb lassen sich im Gegensatz dazu im wesentlichen durch die Fehler- und Fehlerfolgekosten charakterisieren.

---

*) Es wird in diesem Zusammenhang häufig der Begriff Fehlleistung verwendet. Im Hauptteil dieses Bandes soll darauf verzichtet werden.

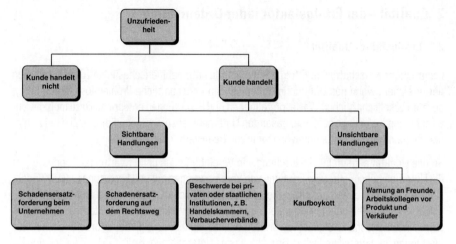

Bild 2.1: Reaktionsmuster von Kunden auf die Unzufriedenheit mit einem materiellen oder immateriellen Produkt [4]

Demgegenüber stehen die „Fehlerverhütungskosten" als Investitionen zur Vermeidung der Verluste. Die Investitionsentscheidungen können dabei unterschiedlichste Unternehmensbereiche betreffen. Erfaßt werden dabei sämtliche Maßnahmen zur Vermeidung von qualitätsbezogenen Verlusten bzw. Fehlleistungen. Die „qualitätsbezogenen Kosten" betreffen demnach nicht nur die „Fehlerverhütungs- und Prüfkosten", sondern darüber hinaus auch sämtliche Maßnahmen zur Sicherstellung oder Verbesserung der Qualität. Eine Auswahl möglicher spezifischer Verluste und Nutzenkomponenten sowie mögliche Methoden und Instrumentarien zur Vermeidung der Verluste sind in der Matrix zur Analyse des Unternehmensprozesses (Anhang 8.2 Verbesserungspotentiale) nach qualitätsrelevanten Bewertungskriterien enthalten. Die systematische Wirtschaftlichkeitsanalyse, die im Rahmen dieses Bandes und insbesondere der Matrix vorgeschlagen wird, kann Potentiale im Sinne einer Verbesserung der Prozeßqualität in direkten und indirekten Bereichen aufzeigen (vgl. Bild 3.2, Seite 15).

2.2 Kundenzufriedenheit durch Qualität

Ein wesentliches Ziel der Unternehmenspolitik und des modernen Qualitätsmanagements ist die Zufriedenstellung des Kunden. Das materielle Produkt oder die angebotene Dienstleistung müssen den Erwartungen und Anforderungen des Kunden entsprechen. Die Qualität des materiellen Produktes oder der Dienstleistung ergibt sich in diesem Fall jedoch nicht allein aus der Erfüllung technischer Spezifikationen, sondern vielmehr aus der subjektiven Einschätzung des Kunden. Seine Zufriedenheit wird demnach im wesentlichen durch die Qualität bestimmt.

Die Anforderungen der Kunden an die zu liefernden Produkte ändern sich zunehmend rascher. Dieser Dynamik haben die Lieferanten mit größerer eigener Beweglichkeit zu folgen. Die geforderte Dynamik kann ein Unternehmen nur mit einer angepaßten Organisation und qualifizierten sowie kreativen und motivierten Mitarbeitern erbringen. Die klassischen Fehlerkosten erfassen nur den statischen Aspekt mit Fehlerkostenarten wie Reklamationskosten, entgangene Deckungsbeiträge wegen fehlerhafter Lieferungen u. ä.. Fehlerkosten aus ungenügender Berücksichtigung der Marktentwicklung sind die Deckungsbeiträge verlorener Marktanteile.

In einem arbeitsteiligen Unternehmen gelten diese Feststellungen analog auch für interne Kunden. Wegen der häufig vorhandenen Monopolsituation interner Lieferanten können interne Kunden nicht auf andere Lieferanten ausweichen. Die klassische Fehlerkostenrechnung ermittelt nur die Kosten im Fertigungsbereich wie z. B. Ausschuß, Nacharbeit, evtl. fehlerverursachte Stillstandszeiten von Maschinen. Fehlerkosten im Verwaltungsbereich werden nicht beachtet, wie z. B. überhöhte Kosten der Leistungserbringung, Deckungsbeitragsverluste aus verlorenen Aufträgen wegen zu langer Auftragsdurchlaufzeiten, Kostenerhöhungen wegen Leistungen, die nicht dem Stand der Technik entsprechen.

Es wird zunehmend klar, daß Fehlerfreiheit und Kundenzufriedenheit nur erreicht werden können, wenn Stabsstellen und fachlich mitarbeitende Vorgesetzte ihr betriebsrelevantes Knowhow im erforderlichen, großen Umfang an die Mitarbeiter übertragen, welche die Leistungen erbringen. „Kundenzufriedenheit" zu erzeugen, ist Aufgabe jedes Mitarbeiters. Vorgesetzte und Stabsstellen haben die Aufgabe, die Voraussetzungen für fehlerfreies Arbeiten zu schaffen sowie Kenntnisse und Fertigkeiten dafür zu vermitteln. Mitarbeiter sollen im Rahmen vereinbarter Ziele und Randbedingungen Mittel und Wege zur Arbeitserledigung selbst wählen und sich auch selbst für ihre ständige weitere Qualifikation engagieren. Fehlerkosten wegen ungenügender Arbeitsbedingungen und ungenügender Qualifikation sind primär von den Vorgesetzten zu verantworten.

Mitarbeiter sind sowohl interne Kunden als auch Lieferanten in ihren Hierarchieebenen als auch hinsichtlich ihrer Vorgesetzten. Mitarbeiterzufriedenheit wird in der Regel erreicht, wenn die oben genannten Randbedingungen sowie die Anerkennung der Leistung gegeben sind. Kreativität der Mitarbeiter erfordert darüber hinaus die Anerkennung, Beurteilung und Realisierung von Verbesserungsvorschlägen. Fehlerkosten aus ungenügender Kreativität im Unternehmen (überhöhte Kosten der Leistungserbringung, Deckungsbeitragsverluste wegen veralteter Produkte) sind den Vorgesetzten anzulasten.

2.3 Strategische und Operative Unternehmensziele

Die strategischen Unternehmensziele werden aus der strategischen Planung abgeleitet und beziehen sich in der Regel auf langfristige, marktorientierte Aspekte. Die operativen Unternehmensziele beziehen sich im Gegensatz dazu auf kurzfristige, zum Großteil nach innen gerichtete Aspekte. Marktanalyse, Marktsegmentierung, Stärken- und Schwächenanalyse unter Berücksichtigung der Mitbewerber (Benchmarking) sind Ausgangsaktivitäten zur Statusermittlung und der Festlegung strategischer sowie operativer Unternehmensziele.

Positive Geschäftsergebnisse (z. B. steigende oder geplante Umsätze und/oder Gewinne; Senkung relativer Kosten; vgl. ISO CD 10014) sind nur zu erwarten, wenn die Kundenbedürfnisse bekannt sind und das Unternehmen über die Möglichkeiten verfügt, diese Bedürfnisse wirtschaftlich zu erfüllen. Es ist daher eine wichtige Unternehmensaufgabe, die aktuellen Kundenanforderungen zu erkennen, ihre Entwicklung zu verfolgen, sie sogar zu prognostizieren. Parallel ist die Entwicklung von Produktvarianten und neuen Produkten an der erkannten Problemlage des Kunden unter Beachtung der eigenen Möglichkeiten sowie der Wettbewerbssituation auszurichten. Fehlerkosten entstehen auch bei der fehlerhaften Einschätzung von Marktpotentialen (Nichterreichung geplanter Umsätze/Deckungsbeitragsverluste bzw. Verlust der Produktentwicklungskosten) und bei der Überschreitung vereinbarter Entwicklungszeiten (Deckungsbeitragsverluste wegen entgangener Umsätze).

Unternehmensziele werden durch die Methode „Führung durch Zielvereinbarung" in Bereichs-, Abteilungs- und Stellenziele detailliert und allen Führungskräften sowie Mitarbeitern bekanntgegeben. Bei den geforderten Zielvereinbarungen mit den Mitarbeitern kann es zu Modifikationen der Stellen-, Abteilungs-, Bereichs-, und Unternehmensziele kommen. Bei dem

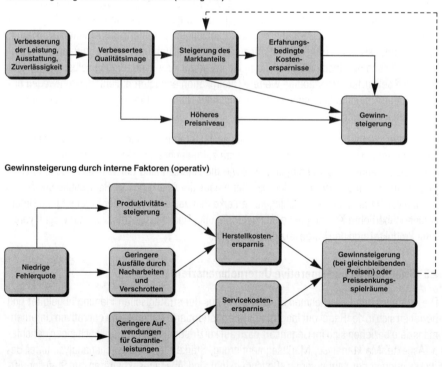

Bild: 2.2: Gewinnsteigerung durch Qualitätsmanagement

Prozeß der Zielvereinbarung sollten Qualifikationslücken sowie erforderliche Maßnahmen zur Zielerreichung festgestellt werden. Aus der nachfolgenden Überwachung der Zielerreichung folgt einerseits die notwendige Anerkennung von Mitarbeitern als auch andererseits die realistischere Einschätzung der Leistungspotentiale und der notwendigen Maßnahmen zu ihrer Verbesserung.

Bezogen auf die operativen und strategischen Qualitätsziele ergibt sich der in Bild 2.2. (Seite 12) gezeigte Zusammenhang.

Die durch Qualität bedingte Gewinnsteigerung ergibt sich zum einen auf strategischer Ebene durch Marktvorteile. Auf der anderen Seite ergeben sich Vorteile aufgrund der geringeren Kosten.

Bei der Festlegung der strategischen Unternehmensziele ist der Qualitätsgedanke verbindlich zu berücksichtigen, da sonst das Unternehmen langfristig nicht überleben kann.

3 Matrix zur Analyse des Unternehmensprozesses nach Bewertungskriterien

3.1 Allgemeines

Jedes Unternehmen ist ein komplexes Netzwerk von Prozessen mit dem Ziel, Wertschöpfung zwischen „input" und „output" zu erzielen und damit den wirtschaftlichen Erfolg zu sichern.

Unternehmen sind langfristig erfolgreich, wenn ein Nutzen für den Kunden, für die Unternehmen und ihre Mitarbeiter selbst, für die Kapitalgeber, die Geschäftspartner (Lieferanten) und die Gesellschaft gegeben ist.

Der Austausch von Leistungen des Unternehmens mit der Umwelt ist aus Bild 3.1 ersichtlich, es entspricht im wesentlichen dem Modell „Total Quality Management" der European Foundation for Quality Management (E-F-Q-M) [9]:

Kundenzufriedenheit, Mitarbeiterzufriedenheit und Auswirkung auf die Gesellschaft werden erzielt durch eine Führung, die Politik und Strategie, Mitarbeiter, Ressourcen und Prozesse lenkt, was schließlich zu herausragenden Geschäftsergebnissen führt.

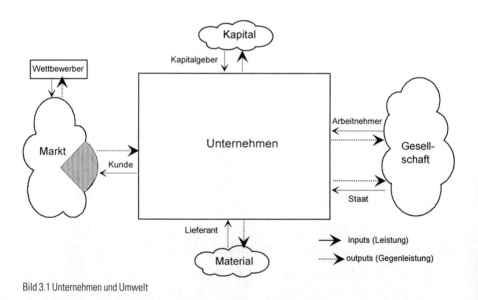

Bild 3.1 Unternehmen und Umwelt

3.2 Aufbau der Matrix

Die Aktivitäten des Unternehmens und des Qualitätsmanagements in der Wertschöpfungskette sind in Bild 3.2 wiedergegeben. Der Block A umfaßt Leitung/Verwaltung, der Block B die sechs Phasen der produktorientierten Unternehmensaktivitäten.

Bild 3.2 Wertschöpfungskette

Die Leitung (Unternehmensführung) umfaßt im wesentlichen

- Zuständigkeit für die Abstimmung und Festlegung der für das gesamte Unternehmen verbindlichen Ziele
- Träger von Verfügungsrechten
- Zentrale Aufgaben
- Personalentwicklung und -beschaffung
- Strategische Planung
- Installation leistungsfähiger Systemstrukturen (Planungs- und Überwachungssysteme, Organisationssysteme und Führungssysteme)
- Qualitätsmanagement mit den Elementen : Q-Politik, Q-Ziele und QM-Darlegung

Die Aufgaben der Verwaltung (Infrastruktur/Dienstleistung) beinhalten

- Personalwesen
- Controlling, Finanz- und Rechnungswesen
- Spezielle Verwaltungsdienste (z.B. Recht, Steuer, Versicherung, Organisation, Revision, Informationssysteme)
- Allgemeine Dienstleistungen (z.B. Gebäudeverwaltung, Telefonzentrale, Hauspost, Registratur, Übersetzungsbüro, Büromaterialbereitstellung, Vervielfältigung)

Der Block B umfaßt die produktorientierten Unternehmensprozesse, die in sechs Phasen eingeteilt sind. Diese Gliederung wird als typisch angesehen und kann je nach Produktkategorie und betrieblichen Anforderungen geändert bzw. ergänzt werden. Die QM-Elemente für alle sechs Phasen sind Qualitätsplanung, Qualitätslenkung und Qualitätsverbesserung.

Die Wertschöpfungskette des Unternehmens ist auch Ausgangsbasis für die Prozeßkostenrechnung mit dem Ziel, Leistungen und Erträge – auch der indirekten Bereiche (Gemeinkosten) – auf die Wertschöpfung des Produktes (Kostenträger) zu beziehen.

3.3 Anwendung

Die wichtigste Funktion der Matrix zur Analyse von Unternehmensprozessen (Bild 3.3) ist darin zu sehen, die Prinzipstruktur und Komplexität von Leitungs- und Leistungsaufgaben des Unternehmens – von der Bedürfnisforschung bis zur Entsorgung des Produktes – zu verdeutlichen und in Zuordnung dazu,

- Zielfunktionen zu präsentieren,
- Einflußfaktoren sichtbar zu machen,
- bewährte Methoden und Instrumentarien zur Beeinflussung angegebener Ergebniskomponenten anzubieten
- Beispiele für Nutzenswirkungen zu demonstrieren,
- die Bedeutung von Fehlleistungen zu unterstreichen,
- Kennziffern zur Bewertung darzustellen.

Die Angaben in den Spalten der Matrix sollen folgende Fragestellungen beantworten:

(1) Zielfunktionen: Was soll mit dem Unternehmensprozeßschritt erreicht werden?
(2) Einflußfaktoren: Wodurch wird der Unternehmensprozeßschritt beeinflußt?
(3) Methoden, Instrumentarien zur Umsetzung: Mit welchen Methoden kann der Unternehmensprozeßschritt unterstützt werden?
(4) Ergebnisse: Was sind die Ergebnisse des Unternehmensprozeßschrittes?
(5) Beispiele für Nutzen: Was ist der Nutzen, der aus der richtigen Ausführung des Unternehmensprozeßschrittes zu ziehen ist?
(6) Fehlleistungen: Welche Fehlleistungen können bei Nichterreichung des Zieles im jeweiligen Unternehmensprozeßschritt auftreten?
(7) Kennziffern: Welche Maßzahlen für den Unternehmensprozeßschritt und dessen Bewertung sind möglich? (vgl. Hauptabschnitt 4)

Damit ist die Matrix ein methodisches Hilfsmittel bei der ökonomischen Bewertung konkreter QM-Aufgabenstellungen im Unternehmen, nämlich

- die richtigen Dinge zu tun (Effektivität) und
- die Dinge richtig zu tun (Effizienz),

und ein Hilfsmittel zur Förderung der ökonomischen Transparenz.

Unternehmensprozesse	Zielfunktionen (1) Was soll mit dem Unternehmensprozeßschritt erreicht werden?	Einflußfaktoren (2) Wodurch wird der Unternehmensprozeßschritt beeinflußt?	Methoden, Instrumentarien zur Umsetzung (3) Mit welchen Methoden kann der Unternehmensprozeßschritt unterstützt werden?	Ergebnisse (4) Was sind die Ergebnisse des Unternehmensprozeßschrittes?	Beispiele für Nutzen (5) Was ist der Nutzen, der aus der richtigen Ausführung des Unternehmensprozeßschrittes zu ziehen ist?	Fehlleistungen (6) Welche Fehlleistungen können bei Nichterreichung des Zieles im jeweiligen Unternehmensprozeßschritt auftreten?	Kennziffern (3) Welche Maßzahlen für den Unternehmensprozeßschritt und dessen Bewertung sind möglich?
Block A							
0. Leitung, Verwaltung ...							
Block B							
1. Marketing ...							
2. Forschung und Entwicklung ...							
3. Realisierungsvorbereitung ...							
4. Realisierung ...							
5. Distribution und Verkauf ...							
6. Nutzung ...							
7. Entsorgung ...							

Bild 3.3 Prinzipdarstellung der Matrix zur Analyse des Unternehmensprozesses

Im Abschnitt 8.2 ist eine beispielhaft ausgefüllte Matrix enthalten, die dem Leser helfen soll, für sein Unternehmen eine Orientierung der wirtschaftlichen Bewertung und Beeinflussung des Qualitätsmanagements zu finden. Bei der Erstellung der Matrix wurde von einem Unternehmen der Produktkategorie „Hardware" Stückgutfertigung ausgegangen.

4 Beeinflussen der Wirtschaftlichkeit durch Qualitätsmanagement

4.1 Wirtschaftlichkeitsbetrachtungen

Zu den vielfältigen Problemen im Qualitätsmanagement liefern Wirtschaftlichkeitsbetrachtungen anhand quantitativer Bewertungen wichtige Informationen für ein effektives und effizientes Handeln bei der Aufgabenlösung. Grundlage hierfür sind zumeist finanzielle Daten. Damit unterstützen und fördern Wirtschaftlichkeitsbetrachtungen ökonomisch orientierte Entscheidungen beim Verwirklichen des Zieles einer Organisation, durch Kundenzufriedenheit erfolgreich zu sein.

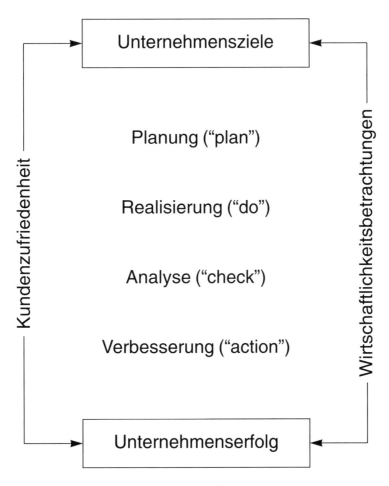

Bild 4.1 Wirtschaftlichkeitsbetrachtungen – Instrumente des Qualitätsmanagements

Wirtschaftlichkeitsbetrachtungen sind integrative Bestandteile und wirksame Instrumente des Qualitätsmanagements und insbesondere bei der Planung, Realisierung, Analyse und Verbesserung qualitätsrelevanter Geschäftsprozesse von Bedeutung (siehe Bild 4.1).

Qualitätsbezogene Wirtschaftlichkeitsbetrachtungen zu Tätigkeiten und Produkten werden dann wirksam und erfolgreich sein, wenn die Führungskräfte von ihrer ständigen Notwendigkeit überzeugt und zudem stets bemüht sind, kontinuierliche Verbesserungen im Leitungs- und Leistungsprozeß in die Wege zu leiten.

Im Mittelpunkt steht dabei die Förderung des ökonomischen Denkens und die Entwicklung der Kreativität mit Blick auf innovative Lösungen.

Die im Anhang enthaltenen Begriffe zur Wirtschaftlichkeit (s. Abschnitt 8.I) und eine beispielhaft dargestellte Matrix „Analyse des Unternehmensprozesses nach qualitätsrelevanten Bewertungskriterien" (s. Abschnitt 8.II) sind Verständigungsgrundlage und Hilfsmittel bei der Erschließung von Verbesserungspotentialen im gesamtheitlichen Produktzyklus.

4.2. Methodisches Vorgehen

4.2.1 Einschlägige normative Orientierungen

DIN EN ISO 8402 enthält außer der Fachterminologie auch generelle Hinweise zur Wirtschaftlichkeit. So wird darauf hingewiesen daß, *„alle in dieser Norm angesprochenen Begriffe sowohl wirtschaftliche als auch terminrelevante Bezüge haben. Bei der Interpretation aller Definitionen dieser Norm sollte dies bedacht werden, auch wenn diese Bezüge nicht in jeder Definition explizit zum Ausdruck kommen."*

Zum Begriff Qualitätsmanagement wird diese allgemeine Feststellung durch die besondere Anmerkung, daß *„Wirtschaftlichkeitsgesichtspunkte beim Qualitätsmanagement zu beachten sind,"* unterstrichen.

Zwei Anmerkungen in DIN EN ISO 8402 bezüglich qualitätsbezogener Kosten sind an dieser Stelle erwähnenswert. Die Anmerkung 1 weist darauf hin, daß „qualitätsbezogene Kosten in einer Organisation gemäß deren eigenen Kriterien festgelegt sind." Ihren jeweiligen Bedingungen entsprechend muß jede Organisation ihre eigenen Festlegungen treffen. Elemente der qualitätsbezogenen Kosten, die überbetrieblich festgelegt wurden, können lediglich als Anregung dienen.

Die zweite Anmerkung besagt, *„einige Verluste mögen schwer erfaßbar sein, können aber sehr bedeutsam sein, etwa ein Verlust an positiver Einstellung,"* woraus man schließen kann, Wirtschaftlichkeitsbetrachtungen gehen weit über die erfaßbaren Elemente der qualitätsbezogenen Kosten hinaus. Damit sind zugleich Grenzen für einheitliche methodische Lösungen angedeutet. Sie betreffen die

– Universalität der Lösungsmethode und
– Quantifizierbarkeit wichtiger Elemente der qualitätsbezogenen Kosten und Leistungen.

Auch in DIN EN ISO 9004-1 sind im Abschnitt 6 „*Finanzielle Überlegungen zu Qualitätsmanagementsystemen*" enthalten. Was dort als „Allgemeines" steht, gibt die hier verfolgte Zielsetzung gut wieder:

„Es ist wichtig, daß die Wirksamkeit eines Qualitätsmanagement-Systems in finanziellen Größen gemessen wird. Die Auswirkung eines effektiven Qualitätsmanagement-Systems auf Gewinn- und Verlustrechnung der Organisation kann hochbedeutsam sein, insbesondere durch Verbesserung der Arbeit, was sich in verminderten Verlusten infolge von Mißverständnissen und durch Beiträge zur Kundenzufriedenheit bemerkbar macht.

Solche Messung und Berichterstattung kann Mittel für das Feststellen nichteffizienter Tätigkeiten bereitstellen und interne Verbesserungstätigkeiten auslösen.

Durch Berichterstattung über Tätigkeiten und Wirksamkeit des Qualitätsmanagement-Systems in finanziellen Größen wird die Leitung die Ergebnisse von allen Abteilungen in einer allgemein üblichen Geschäftssprache erhalten."

Durch diese grundsätzlichen Festlegungen wird das Qualitätsmanagement verpflichtet, alle „*Tätigkeiten der Gesamtführungsaufgabe*" auch bezüglich ihrer Wirtschaftlichkeit zu betrachten.

Ansätze zur finanziellen Berichterstattung über Tätigkeiten im Qualitätsmanagementsystem enthält Abschnitt 6.2 von DIN EN ISO 9004-1.

4.2.2 Randbedingungen

Ausgangspunkt für die weiteren Darlegungen zum methodischen Vorgehen müssen zwei objektive Randbedingungen sein:
- Es gibt kein allgemeingültiges „Patentrezept" für qualitätsbezogene Wirtschaftlichkeitsbetrachtungen;
- Viele der für die Wirtschaftlichkeit der Organisation maßgeblichen qualitätsbezogenen Ergebnis- und Aufwandskriterien sind wertmäßig derzeit nicht oder nur mit unverhältnismäßigem Aufwand exakt zu erfassen, teilweise sogar schwer abzuschätzen.

Das unterstreicht die Bedeutung folgender Feststellung:

Wirtschaftlichkeitsbetrachtungen sind unternehmensspezifisch zu gestaltende Hilfsmittel für das Qualitätsmanagement, die sich nicht auf die erfaßbaren qualitätsbezogenen Kosten reduzieren lassen.

Sie sind fortdauernd unabdingbar, wenn die Organisation im Wettbewerb erfolgreich sein will. Daß die erfaßbaren qualitätsbezogenen Kosten, insbesondere die Fehlerkosten, dabei eine wichtige Grundlage für die Beurteilungen sind, ist unbestritten. Für Wirtschaftlichkeitsbetrachtungen bei quantitativ nicht oder nur mit unverhältnismäßigem Aufwand erfaßbaren Kriterien bieten sich ergänzende bzw. korrespondierende Instrumentarien an. Beispiele dafür sind

Punktbewertungssysteme, wie sie auch bei den „Qualitätspreisen" (Beispiel: European Quality Award) angewendet werden.

4.2.3 Schritte methodischen Vorgehens

Nach bisherigen Erfahrungen haben sich für das methodische Vorgehen bei qualitätsbezogenen Wirtschaftlichkeitsbetrachtungen folgende Schritte bewährt:

1 Festlegen des Ziels der speziellen Wirtschaftlichkeitsbetrachtung
 (z. B. Initiierung von Verbesserungsmaßnahmen)
2 Auswählen der Wirtschaftlichkeitskriterien (z. B. Umsatz)
3 Quantifizieren der zugehörigen Ertrags- und Aufwandskriterien
 (z. B. Fehlerkosten)
4 Festlegen von Bezugsgrößen (z. B. Vorjahreswert)
5 Bilden der betreffenden Kennzahlen (z. B. Fehlerkosten zu Umsatz)
6 Ermitteln von Einflußfaktoren (z. B. Montage)
7 Analyse der Kennzahlen (z. B. Struktur der Fehlerkosten)
8 Durchführen von Vergleichen (z. B. mit Benchmarks)
9 Ableiten von Zielen für Wirtschaftlichkeitsverbesserungen
 (z. B. Umsatzsteigerung)
10 Festlegen zugehöriger Maßnahmen (z. B. Produktinnovation)
11 Durchführung der beschlossenen Maßnahmen (z. B. Erzeugnisentwicklung)
12 Prüfen des Ergebnisses der Maßnahmen (z. B. Nachweis der Kostensenkung)
13 Dokumentation aller Schritte (z. B. Speicherung der ökonomischen Informationen).

Die Abfolge genannter Schritte ist auf den jeweiligen Anwendungsfall situationsgerecht anzupassen.

4.2.4 Anwendung im Problemlösungsprozeß

Zwischen der Abfolge von Schritten des methodischen Vorgehens bei qualitätsbezogenen Wirtschaftlichkeitsbetrachtungen und dem Ablauf eines Problemlösungsprozesses bestehen enge Verknüpfungen. Insofern stellt die nachfolgend gegebene Darstellung (siehe Bild 4.2) lediglich ein mögliches Beispiel dar. Sie soll für die fallangepaßte Individuallösung Anregungen geben.

Gemeinsames Ziel aller Problemlösungen anhand von qualitätsbezogenen Wirtschaftlichkeitsbetrachtungen ist die ökonomisch begründete Entscheidung zur zielerfüllenden (qualitätsgerechten) Realisierung von Verbesserungsprozessen.

Ein typisches Beispiel ist eine Entscheidung bezüglich der zu betrachtenden Fehlerkosten. Das Ergebnis von Kostennachweisen zu Fehlerkosten muß dafür nutzbar gemacht werden, daß diese mittels einer zweckmäßigen Problemlösung vermindert und die Fehlerursachen auf Dauer abgestellt werden.

Phase der Problemlösung	Beispiel	Aspekte der Wirtschaftlichkeitsbetrachtung
1 Problemerkennung	Kundenabwanderung	Initiierung notwendiger Veränderungen, Festlegung der Wirtschaftlichkeitskriterien
2 Problembeschreibung	Anwachsen der Lagerbestände	Aufbereitung der Datenbasis
3 Problemanalyse	Zuverlässigkeit des Erzeugnisses	Ermittlung externer Fehlerkosten
4 Ermittlung der Einflußfaktoren	Konstruktion von Bauelementen	Feststellung externer Fehlerkosten
5 Lösungsvarianten	Fehlerbeseitigung/Weiterentwicklung	Kennzifferbildung
6 Wirtschaftlichkeitsbewertung	Variantenvergleiche	Ableitung von Wirtschaftlichkeitszielen
7 Entscheidung	Weiterentwicklung	Kennzifferbewertung
8 Realisierung	Zuverlässigkeitstest	Nachweis der Fehlerkostensenkung
9 Erfolgsnachweis	Kundenbindung, Neukundengewinn	Soll-Ist-Vergleich, Umsatzentwicklung

Bild 4.2: Wirtschaftlichkeitsbetrachtung im Problemlösungsprozeß

4.3 Auswahl von Kriterien der Wirtschaftlichkeit

Qualitätsbezogene Wirtschaftlichkeitsbetrachtungen sind eine spezifische Form der Bewertung der Wirksamkeit einer Organisation, die auf qualitätsrelevanten Ertrags- und Aufwandskriterien beruhen. (Allgemeine und qualitätsbezogene Begriffe zur Wirtschaftlichkeit siehe Abschnitt 8.l).

Während Ertrag und Aufwand Begriffe der Geschäftsbuchführung sind, sind Kosten und Leistungen Begriffe der Kosten- und Leistungsrechnung.

Bei der Auswahl von Kriterien der Wirtschaftlichkeit sind im konkreten Anwendungsfall folgende Gesichtspunkte zu beachten.

1. Grundlage für die Ableitung differenzierter Kriterien sind die Komponenten der Wirtschaftlichkeit Ertrag und Aufwand.
2. Die auszuwählenden Kriterien müssen mit dem Ziel der Wirtschaftlichkeitsbetrachtung korrespondieren (d. h. z. B. Verbesserungen initiieren).
3. Die in der Organisation vorhandene Informationsbasis sollte weitgehend genutzt werden.
4. Kriterien, deren Datenbasis in der Organisation nicht vorhanden ist, verursachen zur Quantifizierung i. d. R. außergewöhnliche Aufwendungen, die nur in Ausnahmefällen zu akzeptieren sind.
5. Die Struktur der Kriterien ist an der zentralen Funktion von Wirtschaftlichkeitsbetrachtungen, d. h. der ständigen Verbesserung im Sinne des ökonomischen Prinzips zu orientieren.

Ertrag, nach seiner Entstehung gegliedert, ist im Bild 4.3 dargestellt.

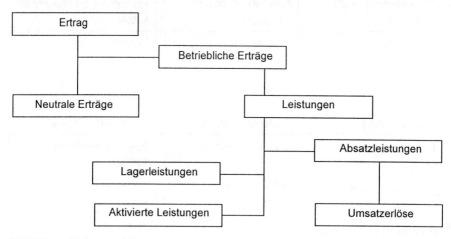

Bild 4.3: Ertrag, Gliederung nach Entstehung

Für ein an der Marktwirksamkeit orientiertes Qualitätsmanagement sind die erzielten Umsatzerlöse ein zentraler Indikator.

Eine Auswahl qualitätsbedingter negativer Einflußfaktoren auf die Umsatzerlöse, aus denen sich Kriterien für Wirtschaftlichkeitsbetrachtungen ableiten lassen, ist Bild 4.4 zu entnehmen.

Die Erfassung z. B. qualitätsbedingter Mindererlöse ist Ausgangspunkt für die Ursachenermittlung und die gezielte Verbesserung der jeweiligen Prozesse. Bild 4.5 zeigt die Aufwand-Gliederung.

Aus der Sicht der Wirksamkeit des Qualitätsmanagements sind betriebliche Aufwendungen und die damit verbundenen Kosten von besonderem Interesse. Struktur und Einordnung der qualitätsbezogenen Kosten sind Bild 4.6 zu entnehmen.

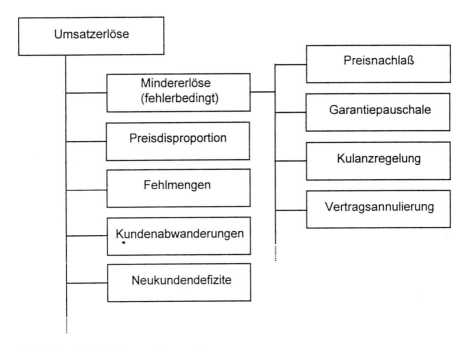

Bild 4.4: Negative Einflußfaktoren auf Umsatzerlöse

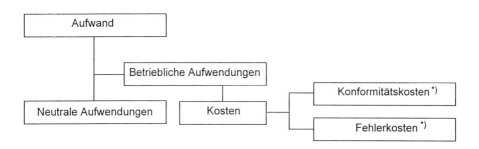

*)Ansatz prozeßbezogener Kosten nach DIN EN ISO 9004 - 1

Bild 4.5: Aufwand, Gliederung und Entstehung

Erhebliche Reserven zur Kostensenkung und damit zur Verbesserung der Wirtschaftlichkeit durch Qualitätsmanagement liegen in der Minimierung bzw. völligen Eliminierung der Fehlerkosten. Fehlerkosten sind zusätzliche Kosten ohne Wertbildung.

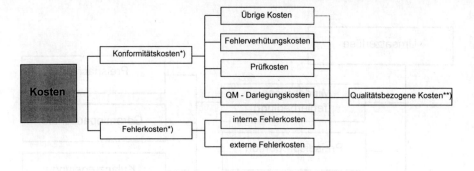

*) Ansatz prozeßbezogener Kosten nach DIN EN ISO 9004-1
**) Ansatz qualitätsbezogener Kosten nach DIN EN ISO 9004-1

Bild 4.6: Struktur und Einordnung der qualitätsbezogenen Kosten

Eine mögliche Fehlerkostenstruktur zeigt Bild 4.7.

Fehlerkosten-Kategorien	Beispiele, intern	Beispiele, extern
Fehlererfassungskosten	Fehlerbewertungskosten Sortierprüfung Problemuntersuchung Reklamationsbearbeitung	Reklamationsbearbeitung
Fehlproduktkosten	Ausschuß	Ausschuß
Fehlerbeseitigungskosten	Nacharbeit, Reparatur Wiederholungsprüfung	Gewährleistung
Fehlerfolgekosten	Mehrkosten, u. a. interne Entsorgungskosten (ggf. in allen anderen Unternehmensbereichen	Produkthaftung, Entsorgungskosten

Bild 4.7: Fehlerkostenstruktur

Fehler sind von gravierendem Einfluß auf die Wirtschaftlichkeit und die sie bedingenden Faktoren eines Unternehmens. Bild 4.8 verdeutlicht weitere fehlerbedingte Verluste, die gegenwärtig z. T. nur bedingt bewertet werden können. Die Folge ist häufig eine Unterschätzung ihres Einflusses auf Kosten und Umsatzerlöse und damit eine unzureichende Sensibilisierung des Qualitätsmanagements für vorhandenes Rationalisierungspotential [1].

---

[1] Fehlerbedingte Verluste sind interne und externe Verluste materieller und immaterieller Art. Betriebswirtschaftlich reflektieren sie sich in erhöhten Kosten, verringerten Umsatzerlösen und geschmälertem Gewinn.

Fehlerbedingte Verluste	Beispiele
1 Fehlerkosten	Nacharbeit
2 Mindererlöse	Preisnachlässe
3 Produktivitätsverluste 　　Leistungsverluste 　　Verlustzeiten 　　Mehraufwendungen	Produktionsausfall Potentialausfall Produktionskapazität
4 Kundenabwanderungen	Umsatzverluste
5 Temporäre Verluste 　　Time to Market 　　Lieferverzug	Verlust an Premium-Preisen Vertragsstrafen
6 Mitarbeiterdemotivation	Innere Kündigung Kreativitätsverlust Fluktuation
7 Organisationsverluste	Deformation optimaler Strukturen Teamwork-Verluste Ineffizienz der Aufbauorganisation
8 Imageverluste	Neukundendefizite Schwächung der Marktposition Beeinträchtigung der Unternehmenskultur Verminderung der Akzeptanz bei Kunden

Bild 4.8: Fehlerbedingte Verluste

Die bestehenden betrieblichen Kostengliederungen und Routineerfassungen ermöglichen i.a. keine umfassende Darstellung der qualitätsbezogenen Kosten. Wegen der besonderen Relevanz der Fehlerkosten sind diesbezügliche Analysen häufig bereits hinreichende Mittel, vorhandene Verbesserungspotentiale zu erschließen. Für weiterführende Fehlerkostenanalysen soll Bild 4.9 Anregungen für die praktische Umsetzung vermitteln.

Zusammenfassend läßt sich konstatieren:
Aus der Sicht des Qualitätsmanagements sind für Wirtschaftlichkeitsbetrachtungen Umsatzerlöse und Kosten als zentrale Kriterien auch für die Ableitung weiterer Kenngrößen von besonderem Interesse.

Folgende Überlegungen sollen dies begründen:

Fehlerkosten Gliederungsaspekte	Struktur
A. Nach der Zurechenbarkeit	1. Einzelkosten (z. B. Fertigungsmaterialausschuß) 2. Gemeinkosten (z. B. Kosten für Sortierprüfungen)
B. Nach der Zuordnung	1. Fehlerkostenarten (z. B. Personalkosten, Werkzeugkosten) 2. Fehlerkostenstellen (z. B. Konstruktion, Produktion, Vertrieb) 3. Fehlerkostenträger (z. B. Produkt, Prozeß, Maßnahme, Vorhaben)
C. Nach der Erfassung	1. Routinebelegmäßige Erfassung 2. Spezielle belegmäßige Erfassung 3. Aufteilung nach Vereinbarungskriterien 4. Schätzung
D. Nach der Beeinflußbarkeit	1. Real erfaßbare Fehlerkosten (z. B. Ausschuß) 2. Verdeckte Fehlerkosten „Hidden Failure Cost" (z. B. Wiederholungsprüfungen) 3. Opportunitätsfehlerkosten (kalkulatorische Kosten, die eine mögliche Kosteneinsparung bei fehlerfreiem QM-Prozeßablauf verdeutlichen sollen, d.h. Reserven sichtbar werden lassen)
E. Nach Ort der Feststellung	1. Interne Fehlerkosten 2. Externe Fehlerkosten
F. Nach der Gewichtung (Pareto)	1. A-Fehlerkosten (Gravierende Fehlerkosten, z. B. 75% vom Gesamtvolumen) 2. B-Fehlerkosten (Mittlere Fehlerkosten, z. B. 20% vom Gesamtvolumen) 3. C-Fehlerkosten (Geringfügige Fehlerkosten, z. B. 5% vom Gesamtvolumen)
G. Nach der Art	1. Personalkosten (z. B. Lohnkosten, Gehaltskosten) 2. Anlagekosten (z. B. Maschinenkosten, Prüfmittelkosten) 3. Materialkosten (z. B. Fertigungsmaterialkosten, Betriebsstoffkosten) 4. Energiekosten (z. B. Treibstoffkosten, Stromkosten) 5. Dienstleistungskosten (z. B. Transportkosten, Reisekosten)

Fehlerkosten Gliederungsaspekte	Struktur
	6. Versicherungskosten (z. B. Produkthaftpflicht, Warenkreditversicherung) 7. Kosten fremder Rechte (z. B. Lizenzgebühren, Patentgebühren) 8. Beiträge, Gebühren, Steuern (z. B. Genehmigungsgebühren, Lohnsteuer) 9. Kapitalkosten (z. B. Eigenkapitalkosten, Fremdkapitalzinsen) 10. Werbekosten (z. B. Werbematerial, Ausstellungen) 11. Sonstige Kosten (z. B. Wagnisse)

Bild 4.9: Fehlerkosten – Gliederungsaspekte

1. Die Erfüllung der Qualitätsforderungen für Angebotsprodukte bestimmt maßgeblich die Umsatzerlöse der Unternehmen, d. h. die erzielbaren Preise auf dem Markt und das Volumen absatzfähiger Leistungen.
2. Die entstehenden Kosten sind auch ein Spiegelbild für das wissenschaftlich-technische und das organisatorische Niveau des Qualitätsmanagements in der Organisation. Bei wettbewerbsfähigen Preisen entscheiden sie über die Höhe der erreichbaren Gewinne und damit letztlich über den Unternehmenserfolg.
3. Produkte, welche die Kundenforderungen und -erwartungen nicht vollständig erfüllen, sind zu ihrer Vermarktung mit erhöhten Kosten wegen besonderer Marketingaufwendungen (z. B. für Werbung und Angebotstätigkeit) und zusätzlicher Kundendienstleistungen verbunden.
4. Unternehmensprozesse mit anfallenden Aufwendungen für Fehler führen zu erheblichen Kostenbelastungen durch Fehlerkosten und somit zu Gewinnschmälerungen für das Unternehmen.
5. Auch die wertmäßig nur schwer zu erfassenden immateriellen qualitätsbezogenen Verluste, wie die Vergeudung von Mitarbeiterpotential oder die Einbuße an Kundenzufriedenheit, reflektieren sich letztlich negativ in der Wirtschaftlichkeit einer Organisation.

Eine zusammenfassende Darstellung von Kriterien der Wirtschaftlichkeit unter besonderer Berücksichtigung qualitätsbezogener Verluste enthält Bild 4.10.

4.4 Planung quantitativer Wirtschaftlichkeitsziele

Zufriedenstellende Qualität beeinflußt potentiell Umsatzerlöse und Kosten im Sinne der erstrebten Wirtschaftlichkeit.

Die für die Existenz und den langfristigen Erfolg des Unternehmens notwendige Wirtschaftlichkeit erfordert die Planung quantitativer Wirtschaftlichkeitsziele.

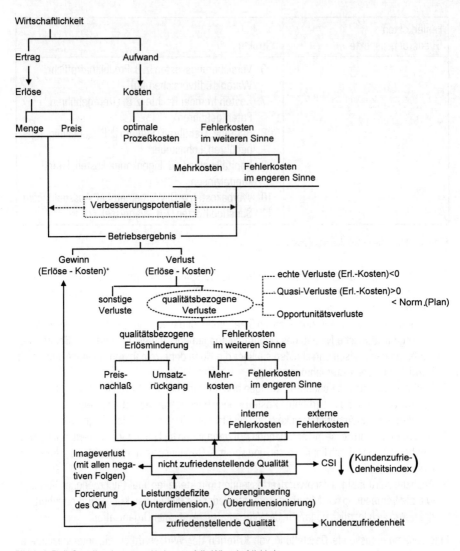

Bild 4.10: Einfluß qualitätsbezogener Verluste auf die Wirtschaftlichkeit

Das ist insbesondere dadurch begründet, daß die Sicherung hoher Wirtschaftlichkeit mit den Mitteln der Wirtschaftlichkeitsbetrachtung zielorientiert gelenkt werden muß.

Diese quantitativen Wirtschaftlichkeitsziele leiten sich aus der Strategie des Unternehmens ab. Sie sind in einem iterativen Prozeß bis zum einzelnen Produkt, Prozeß und Tätigkeitsbereich zu differenzieren.

In der Praxis der Unternehmen hat sich folgende Differenzierung von Wirtschaftlichkeitszielstellungen bewährt:

1. Systembezogene Zielstellungen (z. B. Entwicklung der Umsatzerlöse, Kostensenkung für das Gesamtunternehmen)
2. Bereichsbezogene Zielstellungen (z. B. Fehlerkostensenkung für den Fertigungsbereich)
3. Produktbezogene Zielstellungen (z. B. Senkung der Prüfkosten für Erzeugnis A)
4. Prozeßbezogene Zielstellungen (z. B. Verkürzung des Transportprozesses durch Übergang zu JIT)
5. Maßnahme- und vorhabenbezogene Zielstellungen (z. B. Verbesserung von Zuverlässigkeitskennwerten bei Produktweiterentwicklungen)
6. Tätigkeitsbezogene Zielstellungen (z. B. Senkung der Fehlerhäufigkeit eines Entwickler-Teams).

Wirtschaftlichkeitsbetrachtungen basieren je nach Zielstellung und Einordnung in den Unternehmensprozeß auf dem Vergleich von Ist- oder Planwerten mit definierten quantitativen Wirtschaftlichkeitszielen (Anforderungen).

Als Instrumentarien zur Ableitung quantitativer Wirtschaftlichkeitsziele kommen in der Unternehmenspraxis u. a. zur Anwendung (s. auch Abschnitt 8.2):

Bedarfs- und Marktforschung
Benchmarking *
Lasten- und Pflichtenhefte
Kosten- und Preisvergleiche
Lieferantenbeurteilungen
Reklamationsanalysen
Preis- und Kostenkalkulationen
Opportunitätskostenrechnung *
Kosten- und Leistungsrechnung
Gewinn- und Verlustrechnung
Prozeßkostenrechnung *
Technologische Variantenvergleiche
Wertanalyse
Life-Cycle-Costing
Target-Costing *
Qualitätskosten-Nachweise
Qualitätscontrolling-Informationssysteme
Informationssysteme zu entgangenen Umsatzerlösen (z. B. Wertminderung, Kundenabwanderungen).

(Die * markierten Instrumentarien sind im Anhang, 8.I Begriffe, erklärt.)

Zur Beurteilung von Wirtschaftlichkeitskriterien, d. h. von Ist- oder Planwerten für Ertrag und

Aufwand bzw. Leistungen und Kosten, bieten sich je nach Anwendungsbedingungen folgende Arten von Vergleichen an:

1. Vergleiche mit unmittelbaren Zielwerten (z. B. Jahresumsatz)
2. Vergleiche mit Basiswerten (z. B. Ist- oder Plankosten abgelaufener Perioden)
3. Vergleiche mit Normativen, Richtwerten oder Vorgaben (z. B. Entwicklungsaufwand in Abhängigkeit vom Kompliziertheitsgrad)
4. Vergleiche mit Limitwerten (z. B. nicht zu überschreitenden Grenzwerten für Kosten und Preise)
5. Vergleiche mit Bestwerten (z. B. für die Aufwandsstruktur von Produkten mittels Benchmarking).

Die Festlegung der Vergleichsbasis ist insofern von nicht zu unterschätzender Bedeutung, als in Abhängigkeit von der Art des Vergleiches das Beurteilungsergebnis interpretiert werden muß. Folgende Beispiele sollen das verdeutlichen.

– Überschreiten die Kosten für Ausschuß bei der Realisierung eines definierten technologischen Prozesses kurzfristig die Limitwerte, dürften die Ursachen in der Regel im Fertigungsbereich liegen und z. b. durch Werkzeugwechsel schnell und mit geringem Aufwand zu beheben sein.

– Zeigt das Zuverlässigkeitsverhalten von Produkten auf dem Markt im Verhältnis zum Wettbewerb gravierende Rückstände, sind die wirtschaftlichen Konsequenzen mit großer Wahrscheinlichkeit nicht auf überhöhte Garantieleistungen beschränkt.

Zusammenfassend liegt das Kernproblem bei der Planung quantitativer Wirtschaftlichkeitsziele insbesondere in folgenden Richtungen:

1. Die Qualitätsforderungen der Produkte sind so zu strukturieren und zu dimensionieren, daß volle Kundenzufriedenheit erreicht wird, d.h. der erwartete Anwendernutzen eintritt, und das Unternehmen über einen angemessenen Preis seine Rentabilität sichert.
2. Im Unternehmen sind gesamtheitlich solche adäquaten und stabilen Bedingungen festzulegen, die eine kostenminimale Realisierung der Qualitätsforderungen gewährleisten, beispielsweise durch Simultaneous Engineering oder Lean Organization.
3. Durch gezielte vorbeugende Maßnahmen der Fehlerverhütung (z. B. QFD, SPC, Mitarbeitertraining) sind systematisch die Voraussetzungen zu schaffen, um Fehler und die damit verbundenen Kosten weitestgehend zu vermeiden.
4. Die unternehmensbezogenen quantitativen Wirtschaftlichkeitsziele sind so zu differenzieren, daß durch Festlegen von Teilzielen und das Einräumen entsprechender Handlungsfreiräume für Leiter und Mitarbeiter die Realisierung der Ziele durch Entwicklung des Humanpotentials angeregt wird.

4.5 Erfassen und Auswerten der Bewertungsgrößen

4.5.1 Allgemeines

Die komplexe Aufgabenstellung qualitätsbezogener Wirtschaftlichkeitsbetrachtungen verlangt bei der Umsetzung in die Praxis ein schrittweises Vorgehen. Am Anfang steht eine Voruntersuchung. Ihre zwei prinzipiellen Ziele sind:

- Einmal müssen die zu unterscheidenden Fehler durch Definition festgelegt werden, um sie zweifelsfrei voneinander abzugrenzen zu können.
- Zum zweiten muß ermittelt werden, in welchen organisatorischen Bereichen des Unternehmens solche Fehler vorkommen.

Aufgrund einer Voruntersuchung sollte festgestellt werden, welche der definierten Fehler in die laufende Erfassung einzubeziehen sind. Zu allen diesen Teilfragen einer Voruntersuchung finden sich im Abschnitt 4.5.5 weitere Erläuterungen.

4.5.2 Randbedingungen und Voraussetzungen

Leitlinie für die unternehmensspezifische Auswahl und Definition der Fehler sind die im Abschnitt 2.1 gegebenen Ausführungen. Für die spätere routinemäßige Erfassung der Kostenanteile zu den Fehlern müssen außer unternehmensspezifischen Voraussetzungen auch allgemeine Gesichtspunkte beachtet werden. Beispiele für solche allgemeinen Gesichtspunkte sind:

- Alle Daten für die Fehler sind – ggf. nach Eingabe zusätzlicher Schätz- und Dispositionsinformationen aus dem Qualitätsmanagementsystem – dem vorhandenen Rechnungswesen und ggf. anderen vorhandenen Informationssystemen des Unternehmens zu entnehmen.
- Genauigkeit und Vollständigkeit der Erfassung der Fehler und der Kosten müssen wirtschaftlich vertretbar sein. Wegen der nötigen Schwerpunktbildung bei einzuleitenden Korrekturmaßnahmen ist eine geringere Genauigkeit und Vollständigkeit der Erfassung als bei den durch das Rechnungswesen insgesamt zu erfassenden Kosten möglich.
- Nur wenn die jeweilige Definition der für eine fortdauernde Erfassung ausgewählten Fehler nicht geändert wird, ist ein Vergleich über einen längeren Zeitraum („Längsvergleich") möglich. Deshalb ist es nötig, diese Definitionen sorgfältig zu entwickeln, während der Voruntersuchung zu erproben und allenfalls nocheinmal vor der Einführung periodischer Nachweise über Fehlerkosten zu korrigieren.

Deshalb ist eine gründliche Voruntersuchung eine der wichtigsten Voraussetzungen für eine spätere periodische Erfassung. Sie soll anhand der dafür vorausgewählten Fehler klären,

- die wirtschaftliche Bedeutung der einzelnen Fehler;
- den dafür erforderlichen Erfassungsaufwand.

Ziele dieser Voruntersuchung sind

- die Festlegung jener Fehlleistungen, die im Rahmen der routinemäßigen, periodischen Ermittlung erfaßt werden sollen sowie
- eine ggf. nötige Korrektur der Definitionen dieser Fehlleistungen aufgrund der in der Voruntersuchung gewonnen Erfahrungen.

Da im Regelfall nicht alle Informationen direkt dem Rechnungswesen entnommen werden können, sind zusätzliche Informationen durch die Anwendung gesonderter Schätz- und Dispositionsverfahren zu beschaffen. Beispiele von Fehlleistungen, die selten vom Rechnungswesen ausgewiesen werden, sind:

- **Reklamationsbearbeitung**
  Der anteilige Zeitaufwand der Bearbeitung von Kundenreklamationen im Vertrieb oder von anderen Stellen im Unternehmen, die an der Reklamationsbearbeitung beteiligt sind, wird selten durch routinemäßige Zeitaufschreibungen erfaßt und über z. B. eine Lohn- bzw. Gehaltsabrechnung im Rechnungswesen sichtbar verbucht.
- **Mindererlös**
  Wenn Angebotsprodukte anstatt mit dem geplanten Preis wegen (teilweiser) Nichterfüllung der Qualitätsanforderungen nur mit reduziertem Preis abgesetzt werden können, wird der Mindererlös in der Regel nicht verbucht. Beispielsweise fehlt häufig eine aktuelle Nachkalkulation, weil die angewandten Verfahren der Nachkalkulation solche Fälle nicht einschließt.
- **Fehlerhafte Tätigkeiten**
  Oft wird versäumt, während der Abwicklung von Tätigkeiten vorhandene Informationen zu dokumentieren, oder sie werden nicht im erforderlichen Umfang dokumentiert bzw. gesichert (z. B. Datensicherung bei Anwendung von Computern). Als Bestandteil der Fehlleistungen sollte dieser Aufwand aber erscheinen. Seine Vermeidung wird durch Hinweis auf diese unnötigen Kosten angeregt.

Für die Bereitstellung von zusätzlichen Schätz- und Dispositionsinformationen zu Fehlleistungen muß unterschieden werden zwischen

- Verfahren zum Erfassen der zu den Fehlleistungen gehörenden Personalkosten;
- Verfahren zum Erfassen der Material-/Sach- und sonstigen Kosten.

Diese beiden Erfassungsbereiche werden in den nachfolgenden Abschnitten 4.5.4 und 4.5.5 besonders behandelt.

4.5.3 Einzelheiten zur laufenden Ermittlung der Fehler und deren Kosten

Die laufende Ermittlung der Fehlerkosten wird durch die oberste Leitung veranlaßt. Dazu gibt sie auf der Basis der Voruntersuchung eine entsprechende „Richtlinie" heraus. Diese muß in angemessenem Zeitabstand vor dem Einführungstermin im gesamten Unternehmen bekannt gemacht werden. Sie enthält als Anlage die Liste der definierten Fehler. Die „Richtlinie" muß alle für die laufende Abwicklung der periodischen Ermittlung der Fehlerkosten bedeutsamen

Verfahren und Klärungen enthalten, vor allem auch die Zuständigkeiten für die Ermittlungen in den einzelnen organisatorischen Bereichen des Unternehmens.

Eine Besonderheit nach dem Einführungstermin ist der Einführungseffekt in den ersten Erfassungsperioden. Die Erfahrung lehrt nämlich: Die ausgewiesenen Fehlerkosten steigen in der Anfangszeit ihrer Erfassung ständig an. Skeptiker, die schon immer vor der Einführung gewarnt haben, fühlen sich nun bestätigt. Im allgemeinen verkünden sie den Effekt laut und mit negativer Beurteilung. Das muß für die oberste Leitung Anlaß sein, die erfahrungsgemäße Erwartung zu begründen und die meist sehr einflußreichen Skeptiker in ihre Schranken zu verweisen. Der Kulminationspunkt der ermittelten Kosten für Fehler ist dann meist nicht mehr weit entfernt, zumal wenn bereits Korrekturmaßnahmen eingeleitet sind. Umgekehrt würde ein Unschlüssigwerden der obersten Leitung zu einer katastrophalen Konsequenz führen: Ein Abbruch der laufenden Ermittlungen der Kosten für Fehler kurz nach ihrer Einführung hat zur Folge, daß das Unternehmen um Jahre zurückfällt. Eine neuerliche Einführung wird durch die gleiche oberste Leitung erfahrungsgemäß nie mehr erwogen. Eine nachfolgende oberste Leitung hat es dann ungleich schwerer. Deshalb muß nachdrücklich empfohlen werden, diese erste schwierige Zeit durchzustehen, auch wenn sich der sich tatsächlich von Anfang an einstellende Erfolg erst später in den Fehlernachweisen manifestiert.

Abschließend sei noch ergänzt, worauf bei der Entwicklung der „Richtlinie" zur Erfassung der Fehler verstärkt geachtet werden muß.

– Fehler und deren Kosten werden im allgemeinen aufgrund der Voruntersuchung zu wenig differenziert. Nur eine hinreichend genaue Differenzierung ermöglicht aber das Erkennen der wesentlichen Fehlerschwerpunkte und eine gezielte Einleitung von Korrekturmaßnahmen zur Beseitigung von Fehlerursachen, deren vorausgehende Ermittlung häufig sehr aufwendig ist.
– Die Bewertung der Fehlernachweise wird oft nicht hinreichend auf die Funktionsmerkmale der Angebotsprodukte abgestellt. Bei der Voruntersuchung kann man das berücksichtigen.
– Weil die Fehlerkosten unabhängig von ihrer Ursache nur nach dem Ort ihrer Feststellung erfaßt werden, ist eine unmittelbare Zuordnung dieser Kosten zu den Fehlerursachen nicht möglich, obwohl dieses immer angestrebt wird. Für die Suche nach Fehlerschwerpunkten ist es sinnvoll, entsprechend strukturierte Fehlerschlüssel zur Verfügung zu stellen. Unter Verwendung geeigneter statistischer Methoden (z.B. ABC-Analyse) sind die Fehlerschwerpunkte herauszufinden und hierfür Korrekturmaßnahmen im Sinne der Fehlerursachenfindung und -beseitigung einzuleiten. Wichtig ist, daß eine grobe Zuordnung zur Fehlerursache bereits frühzeitig – möglichst zum Erfassungszeitpunkt – durchgeführt wird, denn ein Fehler kann möglicherweise mehrere Ursachen haben, und diese Zuordnung erleichtert die Suche nach den Ursachenschwerpunkten.
– Manche langfristig wirksamen Korrekturmaßnahmen „greifen" erst nach Jahren. Dadurch fallen die zugehörigen Kosten zur Beseitigung der Fehlerursache in einem anderen Jahr an, als die entsprechenden Kosteneinsparungen ausgewiesen werden können. Das ist der nicht

zu beseitigende Nachteil des jeweils kurzen Betrachtungszeitraumes bei der periodischen Ermittlung der Fehler.

4.5.4 Erfassen der Personalkosten

Im Rechnungswesen liegen für die Personalkosten, insbesondere im Angestelltenbereich, meist keine differenzierten Daten über die jeweiligen Tätigkeiten und deren Zeitaufwand vor. Das wirkt sich bei der Erfassung der Fehler in allen Bereichen der Unternehmensorganisation aus. Deshalb kann bei der Vorbereitung zur Ermittlung der Fehler nicht auf ein zweckmäßiges, ergänzendes Erfassungsverfahren verzichtet werden. Abgestuft nach Genauigkeit kommen hierfür folgende Varianten in Frage:

- Exaktes Erfassen der Kosten durch zeitliche Aufschreibungen. Solche Aufschreibungen sind denkbar
  - sowohl fortlaufend als auch für festgelegte Zeiträume,
  - z. B. täglich oder wöchentlich sowie in Projektabrechnungsverfahren.
- Stichprobenartiges Ermitteln, zum Beispiel als Multimomentstudien.
- Abschätzen der betreffenden Kostenanteile durch die Kostenstellenverantwortlichen für festgelegte Zeiträume, z. B. wöchentlich, monatlich, jährlich.

In der Praxis wird exaktes, regelmäßiges Erfassen aus Gründen des Aufwands in der Regel nicht vertretbar sein. Das gilt auch für Tätigkeiten im Qualitätswesen, also für jene Kostenstellen, in denen vorwiegend Aufgaben des Qualitätsmanagements abgewickelt werden. Auch dort muß geklärt werden, für welche Fehler wieviele Kosten anfallen.

Bei stichprobenartigem Ermitteln sollten die Ergebnisse im statistischen Sinne repräsentativ sein. Das kann allerdings große Zeitspannen für die Erfassung nötig machen, die nicht immer akzeptiert werden können.

Als wirtschaftlich vertretbare Alternative kann das Abschätzen durch die Kostenstellenverantwortlichen angesehen werden. Diese können nach den bisher vorliegenden Erfahrungen mit hinreichender Genauigkeit die in ihrem Verantwortungsbereich im Abrechnungszeitraum anfallenden Kosten zu den einzelnen Fehlern abschätzen. Es muß aber in jedem Abrechnungszeitraum eine neue Schätzung tatsächlich und termingerecht erfolgen, nicht etwa ein Fortschreiben alter Schätzwerte.

4.5.5 Erfassen der Material-, Sach- und sonstigen Kosten

Insbesondere bei der Betrachtung der Fehler sind die Material-, Sach- und sonstigen Kosten von großem Interesse. Vertretbare Daten, die Auskunft über die direkt mit der Beseitigung der Fehlerfolgen und der Fehlerursachen anfallenden Kosten geben, sind in vielen Fällen in Systemen des Rechnungswesens vorhanden. Außer aus dem Rechnungswesen sollten auch Informationen aus vorhandenen PPS-Systemen oder aus der Materialwirtschaft berücksichtigt werden. In vielen Fällen können die Daten aus dem Rechnungswesen unverändert unter Hinzufügung einer Schlüssel-Nr. (zur maschinellen Einordnung in die betreffende Fehlerart) übernommen werden. In anderen Fällen müssen diese Daten noch aufbereitet werden.

Zu den fehlerbedingten Material-, Sach- und sonstigen Kosten, die im allgemeinen aus dem Rechnungswesen unverändert übernommen werden können, zählen unter anderem

– Inventurdifferenzen, eingeschlossen abzuschreibende „Ladenhüter";
– Kosten infolge Leistungen aus Gewährleistung, Garantie und Produkthaftung;
– Infolge des Konkurses eines Kunden ausfallende Bezahlung für bereits gelieferte Ware, da z. B. im Rahmen der Vertragsüberprüfung die Zahlungsfähigkeit nicht ausreichend geprüft wurde.

Aufzubereiten sind, da in der Regel nicht durch das Rechnungswesen ausgewiesen, beispielsweise folgende Fehlerkosten:

– Mindererlöse
– Zusätzliche Frachtkosten, wobei der Fehler sowohl aus einem unsachgemäßen Versand als auch aus einer unplanmäßigen Frachtstückelung entstehen kann.
– Überhöhte Kosten für Recycling und Entsorgung, die beispielsweise angesichts eines Wettbewerbsangebotes offenkundig werden.

Wo in bestehenden Systemen der Organisation die benötigten Daten zu den Fehlern nicht verfügbar sind, können im Gegensatz zu den allgemein anwendbaren Möglichkeiten bei der personenbezogenen Kostenerfassung nur individuelle, auf die einzelnen Fehler bezogene, Verfahren angewendet werden. Für einige der obigen Beispiele gilt dabei:

– Bei Mindererlösen muß nötigenfalls die jeweilige Differenz zwischen dem planmäßigen und dem tatsächlich erzielten, geringeren Erlös ausgewiesen und in die Ermittlung der Fehlerkosten einbezogen werden.
– Zusätzliche Frachtkosten ergeben sich unmittelbar aus den zusätzlichen Rechnungen des Versandunternehmens oder den ausgewiesenen Zusatzkosten der Versandabteilung.

Auch hier zeigt die Erfahrung, wie notwendig eine Voruntersuchung ist (sie war schon im Abschnitt 4.5.2 skizziert worden, nachfolgend wird sie näher beschrieben). Schon in dieser Voruntersuchung kann und sollte man folgende Frage klären: Inwieweit sind aus den Gesprächen mit den jeweils Verantwortlichen der Fachbereiche verläßliche und für die Entscheidung über Korrekturmaßnahmen hinreichende Daten zu erhalten?

4.5.6 Einzelheiten zur Voruntersuchung

4.5.6.1 Ziel der Voruntersuchung

Mit der Voruntersuchung werden mehrere Ziele zugleich verfolgt (siehe Abschnitt 4.5.2).

– Die bei den periodischen Nachweisen aufzuzeigenden Fehler müssen endgültig ausgewählt, durch Definitionen zweifelsfrei geklärt und gegeneinander abgegrenzt werden.

- Die Kosten zu diesen Fehlern müssen abgeschätzt werden, was Auswirkungen auf die endgültige Auswahl der periodisch aufzuzeigender Fehler haben kann.
- Verfahren für die routinemäßige Erfassung von Fehlerkosten sind für diejenigen Kostenanteile festzulegen, die bereits durch das Rechnungswesen ausgewiesen und noch separiert werden müssen.
- Verfahren für das routinemäßige Erfassen von Fehlern sind auch für diejenigen Kostenanteile festzulegen, für die noch zusätzliche Daten benötigt werden, sei es aus den organisatorischen Bereichen des Unternehmens als Schätzungen der Verantwortlichen, oder aus anderen Informationssystemen. Dabei ist jeweils zu klären:
  - Welche Daten werden benötigt?
  - In welchen Zeitabständen ist es sinnvoll, die Daten bereitzustellen?
  - Von welchen Informationsquellen werden erforderliche Zusatzdaten beschafft?

4.5.6.2 Durchführen der Voruntersuchung

Bei der Durchführung der Voruntersuchung sollte wie folgt vorgegangenen werden:

Als erstes müssen von der obersten Leitung des Unternehmens folgende Entscheidungen getroffen werden:

- Einsetzen eines Projektteams mit einem Projektleiter. Je nach Unternehmenskultur sollte der Projektleiter ernannt oder vom Projektteam gewählt werden.
- Festlegen der organisatorischen Bereiche, auf welche sich die Voruntersuchung erstrecken soll. Im allgemeinen wird man das ganze Unternehmen in die Voruntersuchung einbeziehen. Allenfalls bei sehr großen Unternehmen ist es vertretbar, beispielhaft einen Produktbereich oder einen Produktionsstandort auszuwählen.
- Festlegen des Betrachtungszeitraumes für die Voruntersuchung. In Abhängigkeit von den zu untersuchenden Bereichen wird man sinnvollerweise einen Betrachtungszeitraum zwischen drei und zwölf Monaten auswählen.

Zum zweiten müssen die in die Voruntersuchung einzubeziehenden Fehler festgelegt werden. Basis für diese Festlegung sollte ein Katalog von allgemein interessierenden und anwendbaren Fehlern sein, wie er beispielsweise im Anhang 8.2 dieser Schrift zu finden ist. Es empfiehlt sich, diese Auswahl in einem gemeinsamen Gespräch zu treffen, an dem Vertreter der in die Untersuchung einbezogenen Stellen des Unternehmens zugegen sind. Selbstverständlich muß auch ein Vertreter des Rechnungswesens an diesem Gespräch beteiligt sein. Ziele dieses Gespräches sind:

- Auswählen der für das Unternehmen relevanten Fehler für die Voruntersuchung auf Basis des vorgenannten Kataloges;
- Definieren und gegenseitiges Abgrenzen der so ausgewählten Fehler in Anlehnung an überbetrieblich vorhandene Vorbilder, etwa dem Anhang 8.2 dieser Schrift;
- Erläutern dieser Definitionen in Anmerkungen dazu mit dem Ziel, die betrieblichen Verhältnisse einzubeziehen und die üblichen Sprachgebräuche zu berücksichtigen, die meist von der

genormten Fachsprache abweichen; spezielle Ziele sind dabei, das Verständnis der einzelnen Definitionsinhalte und für die Zweckmäßigkeit der Fachsprache zu vermitteln;
- Festlegen der Verfahren, die zum Ermitteln fehlender Zusatz-Daten anzuwenden sind;
- Dokumentieren der einzelnen Schritte und Verfahren mit dem Ziel, eine Basis für die später herauszugebende Richtlinie der obersten Leitung des Unternehmens zu periodischen Nachweisen der Fehler zu schaffen.
- Zur dann ablaufenden Abwicklung der erforderlichen Ermittlungen obliegen dem Projektleiter die Planungs-, Koordinierungs- und Überwachungsaufgaben. Sie sollten dahin wirken, daß die Ermittlungen von den einzelnen Einheiten der Organisation durchgeführt werden. Dadurch werden diese in die Vorbereitung der bevorstehenden periodischen Ermittlung der Fehler einbezogen. Erfahrungsgemäß hat das eine sehr positive Auswirkung insofern, als wegen des offensichtlichen Interesses der obersten Leitung an der Erfassung und ständigen Verfolgung der Fehler schon ohne jegliche Korrekturmaßnahmen Einsparungen infolge einer erhöhten Sensibilisierung für Fehler erzielt werden. Bei dieser durch den Projektleiter koordinierten, fachbereichsweisen Ermittlung ist eine schriftliche Festlegung von großem Wert, in welcher für den vorgegebenen Zeitrahmen (3 bis 12 Monate) die zu ermittelnden Daten mit den Definitionen der Fehler enthalten sind. Der Projektleiter sammelt die ermittelten Daten und wertet sie in einer für die einzelnen Hierarchie-Stufen zweckmäßigen und verständlichen Weise aus. Er sollte dabei den nachfolgenden Abschnitt 4. beachten.
- Die Auswertung der Ergebnisse dieser Voruntersuchung sollte zugleich der Entwicklung einer Auswertungsmethodik dienen, deren Anwendung bei den späteren periodischen Nachweisen der Fehlerkosten zweckmäßig sind. Dazu gehört auch die Verwendung von Kennzahlen (Kennzahlensystemen) mit geeigneten Bezugsgrößen (siehe Abschnitt 4.6). Damit sollen die ermittelten absoluten Werte der Fehlerkosten anschaulich relativiert werden, beispielsweise in bezug auf den Umsatz, auf den Veredelungswert oder zahlreiche weitere Bezugsgrößen. Es ist plausibel, daß für Unternehmen mit unterschiedlichen Marktaktivitäten auch unterschiedliche Bezugsgrößen verwendet werden müssen, beispielsweise für ein Handelsunternehmen, ein produzierendes Unternehmen oder ein Dienstleistungsunternehmen. Zusätzlich bestehen folgende Möglichkeiten:
- Normierung der Ergebnisse, das heißt Bezugnahme auf eine Größe gleicher Dimension (nämlich Kosten), um dimensionslose Vergleichsgrößen nutzen zu können, beispielsweise Anteil der gesamten Kosten für Fehler am Nettoumsatz in Prozent für mehrere Produktbereiche.
- Bewertung der Robustheit des Ermittlungsergebnisses, das heißt der Abhängigkeit seiner Geltung von der Größe der Zufallsschwankungen (dies wird häufig irreführend als „Datenqualität" bezeichnet).
- Auch zum Verhältnis zwischen Nutzen und Aufwand einer Ermittlung der Fehlerkosten werden oft Überlegungen angestellt oder gar quantitative Bewertungen gefordert. Dazu ist festzuhalten, daß zwar die Kosten einer solchen Ermittlung meist vergleichsweise gut festgestellt werden können, kaum aber jemals der Nutzen quantifiziert werden kann, der weit in den psychologischen Bereich hineinreicht. Beispielsweise könnte es sein, daß man für einen

speziellen Teil der Erfassung der Fehlerkosten einen Aufwand von DM 1.000,– betreibt, um damit Aussagen über einen speziellen Fehler von DM 500,– zu erhalten. Vordergründig ist das unvertretbar unwirtschaftlich. Es kann aber sein, daß infolge psychologischer Wirkungen durch diesen Erfassungsaufwand ein Einsparungseffekt von vielen tausend DM erzielt wird, der unmittelbar nicht erfaßt werden kann. Inwieweit solche Wirkungsbeziehungen bestehen, kann nur die mit den Zusammenhängen vertraute Führungskraft feststellen oder erahnen. Man kann außerdem umkehrend sagen: Mit sehr kleinem Aufwand lassen sich zuweilen Aussagen über einen Sachverhalt treffen, der Ursache für enorme Verluste ist. So können kleine externe Reklamationskosten die Erkenntnis erschließen, daß Kunden die Enttäuschung über ein spezielles Angebotsprodukt auf alle Angebotsprodukte des Anbieters übertragen, was zu sonst nicht erklärlichen, aber erheblichen Umsatzverlusten führt.

Die Ergebnisauswertung zur Voruntersuchung sollte auch auf die Umrechnung quantitativer Angaben der Fachbereiche auf monetäre Größen abzielen, um sie dimensionsgleich im Fehlerkostennachweis wiederzufinden. Die ursprünglichen Angaben der Fachbereiche liegen nämlich sehr oft nur als Mengenangaben (Stück, Gewicht) oder in Zeitangaben (Stunden, Tage) vor. Hierzu sind die betreffenden Umrechnungsfaktoren festzulegen. Das sollte auch mit Blick auf spätere periodische Fehlerkostennachweise geschehen. Diese Umrechnungsfaktoren werden in der Betriebspraxis verschiedentlich „Verrechnungssätze" genannt, obwohl weder etwas „verrechnet" wird noch „Sätze" im Spiel sind. Beispiele für solche Umrechnungsfaktoren sind „DM/kg Abfall", „DM/Monat" für eine betrachtete Tätigkeit, bei Durchschnitts-Abschätzungen „DM/Nacharbeitsergebnis" oder „DM/Wiederhollieferung".

Die so aus einer Voruntersuchung ermittelten Umrechnungsfaktoren enthalten unvermeidlich Unsicherheiten. Deshalb muß für die periodischen Fehlerkostennachweise ein Verfahren festgelegt werden, in dem die aus der Voruntersuchung geltenden Umrechnungsfaktoren einer Prüfung bzgl. ihrer Aktualität unterzogen werden. Je länger dann die periodischen Fehlerkostennachweise erstellt werden, desto verläßlicher sind diese Umrechnungsfaktoren.

– Von ausschlaggebender Bedeutung für die spätere Funktionsfähigkeit der periodischen Fehlerkostennachweise ist, daß die festgelegten Zuordnungen von betriebswirtschaftlich ermittelten Kostenbestandteilen zu den Fehlern routinemäßig ausschließlich durch das Rechnungswesen selbst vorgenommen werden. Ein vom Rechnungswesen getrenntes Verfahren der Ermittlung der Fehlerkosten wäre nicht nur wirtschaftlich undiskutabel. Es führt nämlich zu einem „Auseinanderleben" von Qualitätswesen und Rechnungswesen, wenn nicht sogar zu gegensätzlichen Auffassungen zur Ermittlung der Fehlerkosten.

Das Rechnungswesen muß diese Zuordnung bei allen Bestandteilen der Fehlerkosten vornehmen. Das gilt sowohl für die nur mit einem Schlüsselcode zu ergänzenden, im Rechnungswesen bereits separiert enthaltenen Kostenbestandteile, als auch für diejenigen Kostenbestandteile, die nur mit Hilfe zusätzlicher Daten aus den Kosten des Rechnungswesens aussortiert und erst dann den Fehlerkostennachweisen zugeführt werden können. Wie schon oben erwähnt, gehört dazu auch die Einbeziehung von Informationen aus PPS-Systemen und anderen betrieblichen

Informationssystemen in die Methodik der Erfassung von Fehlerkosten im Fehlerkostennachweis.

– Der Bericht über die Voruntersuchung muß der obersten Leitung des Unternehmens sowie allen an der Ermittlung der Kosten beteiligten Bereichen zugänglich gemacht werden, ggf. in unterschiedlicher Verdichtung und/oder Aufmachung. Ziel der Darstellung der Ergebnisse und der Formulierungen dieses Berichtes muß die Förderung des Verständnisses für die periodischen Fehlerkostennachweise und die Akzeptanz der angewendeten Verfahren zur Ermittlung und Bewertung der Ergebnisse sein.

In angemessenem Zeitabstand nach der Verteilung dieses Berichtes sollte dessen Diskussion im Beisein aller Betroffenen und Beteiligten in einer Besprechung erfolgen. Diese Diskussion sollte es ermöglichen, daß die Teilnehmer ihre vorbereiteten – vorher eingereichten – Verbesserungsvorschläge zum Verfahren erläutern. Die von der obersten Leitung zu führende Diskussion muß zu klaren Entscheidungen bezüglich der Vorschläge führen. Die oberste Leitung sollte bei dieser Gelegenheit ihr erhebliches Interesse an weiteren Verbesserungen deutlich machen.

4.6 Kennzahlen

Vielfalt und Menge des oft vorhandenen Datenmaterials im Rechnungswesen und Qualitätsmanagement machen es notwendig, aussagefähige Verdichtungen und Gegenüberstellungen von Informationen vorzulegen. Dazu werden Kennzahlen verwandt, die ein wichtiges Hilfsmittel zur Planung (Ziele), Bewertung des Erreichten (IST), Analyse und Einleitung von Verbesserungsmaßnahmen darstellen.

Die Verbesserung der Wirtschaftlichkeit durch Qualitätsmanagement ist ein Gebiet, das dem Ideenreichtum und der Kombinationsfähigkeit der Fachleute nur aus der Sicht der verfügbaren Datenbasis Grenzen setzt. Der Objektbereich, auf den sich Kennzahlen beziehen, hängt von den jeweiligen Untersuchungsgegenständen ab.

Wirtschaftlichkeitsbetrachtungen können auch basierend auf verfügbaren Qualitätskennzahlen (QKZ), z.B. entsprechend DGQ-Schrift Nr. 14-23, durchgeführt werden. [8]

Die Auswahl der Kennzahlen und Bezugsgrößen für die Bewertung der Wirtschaftlichkeit des Qualitätsmanagements ist stark von der vorangegangenen Aussage in den Kapiteln 3, 4.2, 4.3 und 4.4 geprägt. Vorschläge von Kennzahlen an den einzelnen Elementen des Unternehmensprozesses sind in Abschnitt 8.4 enthalten.

Aufgrund der zahlreichen in den Unternehmen vorhandenen Informationen, die nicht nur durch die Betrachtung qualitätsbezogener Sachverhalte anfallen, muß für qualitätsbezogene Wirtschaftlichkeitsbetrachtungen eine Entscheidungsgrundlage in übersichtlicher Form zur Verfügung gestellt werden. Daher ist es dringend erforderlich, daß die für die Entscheidungsträger relevanten Sachverhalte und -zusammenhänge entsprechend abgebildet werden können, ohne daß ungeeignete oder ungenutzte Informationen gesammelt werden und damit Zahlenfriedhöfe entstehen.

Die gesammelten, qualitätsbezogenen Daten können als Kennzahlen zu aussagefähigen Informationen für unterschiedliche Entscheidungsebenen verdichtet werden. Als Kennzahlen werden jene Zahlen bezeichnet, die quantitativ erfaßbare Sachverhalte in konzentrierter Form darstellen [16]. Neben der Darstellung ausgewählter und komprimierter Informationen (Informationsinstrumentarium) bieten Kennzahlen die Basis für eine ständige Schwachstellenanalyse, in der sie als eine Art Frühwarnindikatoren auf mögliche negative Entwicklungen hinweisen. Weiterhin werden sie als Planungs- und Steuerungsinstrument für die Vorgabe und gleichzeitig die Erfüllung von Sollwerten genutzt.

Die Vorgabewerte sind Zielwerte, die sich entweder auf das Produkt (z. B. Einzelteil, Baugruppe, Endprodukt) beziehen oder einen direkten Bezug zu dem Prozeß (z. B. Produktionsprozeß, Ablauforganisation) aufweisen. Diese Werte müssen mit den tatsächlich anfallenden Daten (Ist-Werte) verglichen werden.

Neben der Verwendung von Einzelkennzahlen ist insbesondere für die Beurteilung komplexer und interdependenter Prozesse und Strukturen die Nutzung von Kennzahlensystemen, in denen Kennzahlen in einem zweckmäßig strukturierten Beziehungsgefüge zusammengefaßt sind, sinnvoll. Die einzelnen Kennzahlen werden entweder durch eine sachlich sinnvolle Verknüpfung zu einem Ordnungssystem oder durch formal rechnerische Beziehungen zu einem Rechensystem zusammengefaßt. In Abhängigkeit vom Anwendungsfall sind auch Mischformen beider Verknüpfungen möglich.

Innerhalb der betriebs- und finanzwirtschaftlichen Bereiche werden einige Kennzahlensysteme genutzt (ZVEI, DuPont [20], RL [17], etc.) (vgl. dazu Bild 4.13); erfolgreiche Anwendungen zur Beschreibung qualitätsbezogener Sachverhalte gibt es jedoch nicht. Dieses Defizit kann mit der vorliegenden Schrift auch nicht behoben werden, es sollen aber für den Anwender beispielhafte Kennzahlen phasenbezogen vorgestellt werden.

Für eine sinnvolle Nutzung von Kennzahlen sind einige Randbedingungen zu beachten, denn bei der Anwendung von Kennzahlen darf nicht übersehen werden, daß ihr Aussagewert für die beschriebenen Sachverhalte begrenzt ist.

Durch die Verdichtung von Informationen zu Kennzahlen geht der vollständige Informationsgehalt verloren. Weiterhin besteht die Gefahr, daß Sachverhalte nur auf Basis von Einzelkennzahlen bewertet und Entscheidungen auf Basis dieser eingeschränkten Betrachtung getroffen werden. Um eine adäquate Erfassung und Darstellung des Sachverhaltes gewährleisten sowie Fehlinterpretationen vermeiden zu können, empfiehlt sich eine kombinierte Anwendung von qualitativen und quantitativen Informationen [18].

Weiterhin ist es notwendig – Folge der sich immer schneller vollziehenden dynamischen Veränderungen betrieblicher Prozesse und Strukturen – auf diese Veränderung frühzeitig – gegebenenfalls mit der Bildung neuer oder der Substitution nicht mehr sinnvoller Kennzahlen – zu reagieren.

Eine ganzheitliche Betrachtung und Beurteilung betrieblicher Abläufe ist dringend erforderlich, Kennzahlen oder Kennzahlensysteme bieten daher ein wesentliches aber nur ergänzendes Informationsinstrumentarium. Eine detaillierte und quantitativ fundierte Planung, Bewertung und Steuerung qualitätsbezogener Aktivitäten ist durch die alleinige Bereitstellung statischer oder absoluter Kennzahlen nicht möglich, da ihre Brauchbarkeit bei sich ändernden Rahmenbedingungen eingeschränkt ist.

Es müssen aussagefähige Verhältniskennzahlen, deren Eingangsinformationen sowohl innerbetrieblich (operativ) wie auch markt- bzw. kundenorientiert (strategisch) ermittelt werden, für die Entscheidungsprozesse zur Verfügung gestellt werden. Eine ausschließlich monetäre Bewertung der Größen ist nicht zwingend notwendig, insbesondere muß deren Erfassung und Verrechnung unter Berücksichtigung der Erreichung des erzielbaren Nutzens gesehen werden.

Welche Kennzahlen genutzt und verwendet werden, ist jeweils abhängig von der speziellen Situation des Entscheidungsproblems. Allgemein steigt der Gebrauchswert von Kennzahlen mit zunehmendem Detaillierungsgrad. Kennzahlen auf einer groben Detaillierungsebene sind zunächst nur richtungsweisend, sie helfen aber dann, Problembereiche aufzudecken, in denen sich eine weitere Detaillierung lohnt.

Zunächst seien jedoch an dieser Stelle innerhalb der traditionellen Kennzahlensysteme einige Kennzahlen besonders erwähnt, da Ihnen eine besondere Bedeutung zukommt: Rentabilität, Produktivität und Wirtschaftlichkeit (vgl. Anhang 8.4)

Die Rentabilität beschreibt das Verhältnis einer Erfolgsgröße zum eingesetzten Kapital einer Abrechnungsperiode. [Anlehnung an GABLER]

Rentabilität = (Erfolg/Kapital) x 100
           wird zur Beurteilung des Unternehmenserfolgs herangezogen.

Unter Produktivität versteht man im internationalen Sprachgebrauch die mengenmäßige Ergiebigkeit der Güterherstellung.

Produktivität = Mengenleistung/Zeitaufwand

Der Begriff der Wirtschaftlichkeit ist ein wirtschaftssystem- und unternehmenszielindifferenter Ausdruck dafür, inwieweit eine Tätigkeit dem Wirtschaftlichkeitsprinzip genügt.

(Anlehnung (GABLER]. Die Wirtschaftlichkeit bewertet die Beziehung zwischen Mitteleinsatz und Handlungsergebnis.

Wirtschaftlichkeit = Erträge/Aufwendungen oder
                   Erlöse/Kosten

An dieser Stelle sei ebenfalls auf den Anhang 8.3 verwiesen, in dem die verwendeten Begriffe zusammenfassend erläutert sind. Die nachfolgend aufgeführten Informationen zur Unterstützung anfallender unternehmerischer Entscheidungsprozesse orientierten sich an der gewählten Strukturierung des gesamten Wertschöpfungsprozesses in sechs unterschiedliche Phasen:

1 : Marketing   4 : Forschung und Entwicklung
2 : Distribution   5 : Realisierung
3 : Nutzung   6 : Entsorgung.

Bezogen auf die einzelnen Phasen werden im Anhang Kenn- bzw. Bewertungsgrößen mit den dazugehörigen Meß- und Bezugsgrößen vorgestellt, die selbstverständlich nur einen Auszug darstellen können. Abgerundet werden diese Kenngrößen durch eine Auflistung möglicher Fehler. Außerdem sind abschließend Durchschnittswerte angegeben, die keinen Phasenbezug aufweisen, sich aber in jeder einzelnen Phase widerspiegeln. Weitere Angaben über Kenngrößen und Fehler sind in der Matrix (s. Kap. 8.2) enthalten.

4.7 Einflußnahme auf die Wirtschaftlichkeit

Wirtschaftlichkeitsbetrachtungen sind auch im Qualitätsmanagement bewährte Instrumente. Sie liefern Informationen, die Gesamtheit der qualitätsbezogenen Zielsetzungen und Tätigkeiten aus der Sicht des Verhältnisses von Ertrag und Aufwand zu beurteilen und das Qualitätsmanagement auf langfristigen Unternehmenserfolg zu fokussieren. Sie haben damit analysierende, lenkende und innovativ- mobilisierende Wirkungen mit dem vorrangigen Ziel des Beeinflussens der Wirtschaftlichkeit in Richtung auf qualitätsbezogene Ertragssteigerung und gleichzeitige Aufwandssenkung.

Da Qualitätsmanagement die Verantwortung aller Führungsebenen und die weitgehende Einbeziehung aller „Mitglieder der Organisation" beinhaltet, haben Wirtschaftlichkeitsbetrachtungen einen komplexen Charakter, der sich auf folgende Grundsätze zurückführen läßt:

1. Hierarchische Strukturierung nach dem Top-Down-Prinzip
2. Prozeßbegleitende Gestaltung von der Akquisition bis zur Entsorgung des Produkts
3. Integrative Realisierung als Bestandteil der Aufgabenerfüllung
4. Differenzierte Anwendung in Abhängigkeit von der Zielstellung
5. Auswertung durch die Entscheidungsträger und partizipative Umsetzung mit den Leistungsträgern.

Eine stärkere Ausprägung der Funktion des Beeinflussens gegenüber der traditionell noch häufig dominierenden Überwachung der Wirtschaftlichkeit ist an die folgenden, zu schaffenden Voraussetzungen (im Sinne von Empfehlungen) geknüpft:

– Analyse der wesentlichen qualitätsbeeinflussenden Faktoren (s. Bild 4.11) auf der Grundlage der Wirtschaftlichkeitsbetrachtung
– Identifizierung und Systematisierung von Verbesserungspotentialen mit dem Ziel der Schwerpunkterkennung

- Vervollkommnung von Kenntnissen über moderne Methoden und Instrumentarien (Tools) des Qualitätsmanagements
- Festlegung operativer Korrekturmaßnahmen zur Fehlerbeseitigung

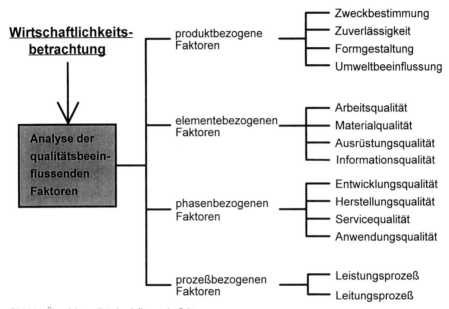

Bild 4.11: Übersicht qualitätsbeeinflussender Faktoren

- Planung zeitlich determinierter innovativer Verbesserungen einschließlich deren struktureller Verflechtungen
- Organisation des Verbesserungsprozesses durch die Bildung kompetenter Teams und die Schaffung förderlicher Rahmenbedingungen
- Förderung arbeitsplatzbezogener individueller Verbesserungsaktivitäten über zielgerichtete Information und motivierende Formen moralischer und materieller Anerkennung
- Verallgemeinerung methodischer Erfahrungen zur permanenten Erschließung von Verbesserungspotentialen in allen Arbeitsprozessen, insbesondere durch qualitätsorientiertes Führungsverhalten und eine umfassende Entwicklung der Mitarbeiterbeteiligung.

Verbesserungspotentiale im Sinne des Null-Fehler-Prinzips zur Erhöhung der Wirtschaftlichkeit liegen im gesamten Produktlebenszyklus von der Marktforschung bis zur Entsorgung verborgen.

Bild 4.12 soll für potentiell auftretende Fehler typische Verursacher und Beispiele für Ursachen verdeutlichen.

Potentielle Fehler-Verursacher	Fehler-Ursachen (Beispiele)
Marktforschung	Ermittlung der Kundenanforderungen
Entwicklung	Transformation der Kundenanforderungen
Produktionsvorbereitung	Festlegung der Technologie
Beschaffung	Lieferantenauswahl
Produktion	Prozeßfähigkeit
Vertrieb	Kundenberatung, Vertragsgestaltung
Verpackung	Produkt- und Dokumentations-Disposition
Versand	Transportbedingungen (Logistik)
Inbetriebnahme	Betriebsanleitung
Betreiber (Nutzer)	Zuverlässigkeit
Kundendienst	Servicegestaltung
Entsorger	Recycling-Technologie

Bild 4.12: Fehler-Verursacher und -Ursachen

Der gegenwärtige Zustand, daß diese Fehler gesamtheitlich nur sehr bedingt ökonomisch bewertet werden können, führt vielfach zu einer Unterschätzung ihres gravierenden Einflusses auf Umsatzerlöse und Kosten und damit zu einer unzureichenden Sensibilisierung des Qualitätsmanagements für vorhandene Verbesserungspotentiale.

Interne und externe Fehlerkosten (s. Definitionen) werden größtenteils in der betrieblichen Praxis erfaßt und sind Gegenstand zielgerichteter Beeinflussung. Die entscheidenden Verbesserungspotentiale dürften aber in einer konsequenten Minimierung qualitätsplanungsbedingter Fehler, insbesondere bei der Ermittlung der Qualitätsanforderungen des Marktes und ihrer Transformation in betriebliche Dokumentationen, liegen.

Ein typisches Merkmal industriellen Qualitätsmanagements seit Jahren ist die Erweiterung und Vervollkommnung des Spektrums der Methoden und Instrumentarien. Neben die klassischen Instrumentarien der Meßtechnik, Normung und Statistik ist eine Fülle weiterer „Tools" getreten, die der Nichtprofi zum Teil bestenfalls von der Bezeichnung her kennt.

Sie reichen z. B. von QFD über Design Prüfung, Wertanalyse, FMEA bis zu Qualitätszirkeln und Benchmarking. Entscheidend sein dürfte aber weniger die Kenntnis über deren Existenz und Entwicklung als vielmehr ihre praktische Beherrschung im konkreten Arbeitsprozeß. Dies durch Schulung, Training und Erfahrungsaustausch zu organisieren, ist eine wesentliche Führungsaufgabe im Qualitätsmanagement.

Von äußerster Relevanz bei der Durchführung innovativer Verbesserungen ist die Berücksichtigung des Zeitfaktors und prozeßorganisatorischer Verflechtungen. Zu frühe Innovationen, sowohl von Produkten als auch von technologischen und Organisations-Lösungen, sind stark risikobehaftet. Zu späte Innovationen können den Verlust des Marktes bedeuten. Innovative Verbesserungen sollten stets aus der Sicht komplexer Wirkungen geplant werden. Punktuelle Verbesserungen führen häufig nicht zum gewünschten Erfolg. Als typisches Beispiel sei die technologische Verbesserung für ein Erzeugnis genannt, das hinsichtlich seiner konstruktiven Parameter bereits nicht mehr den Marktanforderungen entspricht.

Ausgehend vom Ziel der weitestgehenden Sicherung der Kundenzufriedenheit sollten bei innovativen Verbesserungen u. a. folgende Aspekte Berücksichtigung finden:

- Kundenanforderungen prognostisch erfassen
- Konkurrenzreaktionen kritisch beurteilen
- F & E- sowie Organisations- Entwicklungen hinsichtlich Anwendbarkeit prüfen
- Differenzierungsstrategie festlegen
- Zeitlich zwingend determinierte Innovationen längerfristig planen
- Mitarbeiter in die Planung einbeziehen und für die Realisierung motivieren
- Zielstellungen von Innovationen im Realisierungsprozeß notwendigenfalls präzisieren
- Unternehmensspezifische Kundenvorteile demonstrieren.

Die Bedeutung der Kundenzufriedenheit für den Unternehmenserfolg verdeutlichen folgende Erfahrungen:

Ein zufriedener Kunde berichtet an 8 weitere Interessenten

Ein unzufriedener Kunde informiert 18 potentielle Käufer

Einen Kunden zu behalten, erfordert nur 20% der Aufwendungen, die für die Gewinnung eines neuen Kunden erforderlich sind.

Ein zufriedener Kunde ist bereit, für Verbesserungen am Produkt einen angemessenen Preis zu zahlen.

Die Forcierung des Qualitätsmanagements wird weltweit als eine markante Entwicklungstendenz von Organisationen anerkannt.

Mitunter kann der Eindruck entstehen, daß bei der Gestaltung von Qualitätsmanagement-Systemen die Organisationsstruktur im Vordergrund steht und Kostensenkungen der bevorzugte Bewertungsmaßstab sind.

Forcierung des Qualitätsmanagements als permanentes Verbesserungspotential sollte insbesondere in zwei Richtungen verstanden werden,

- als das ständige Bemühen der obersten Leitung, eine solche an der Dynamik der Marktforderungen orientierte Qualitätspolitik zu konzipieren, um damit den Unternehmenserfolg langfristig zu untermauern und

– als zunehmende Befähigung des gesamten Unternehmens, die Gesamtheit der Qualitätsmanagement-Elemente (ihre komplexe Wirksamkeit) unter Anwendung adäquater Verfahren, Prozesse und Mittel auf die Erfüllung qualitätsorientierter Wirtschaftlichkeitszielstellungen auszurichten.

Die Festlegung der Qualitätspolitik durch das Top-Management ist als Sinngebung für das gesamte Unternehmen auch gegenüber dem Markt von zentraler Bedeutung.

Eine Vernachlässigung eines Qualitätsmanagement-Elements oder mehrerer Qualitätsmanagement-Elemente ist vielfach die Ursache für unbefriedigende Erfolge oder Unternehmenskrisen.

Qualitätsbezogene Wirtschaftlichkeitsbetrachtungen sind folglich im Qualitätsmanagement unentbehrliche Hilfsmittel für die Planung, Lenkung und Verbesserung von Produkten, Prozessen und Tätigkeiten.

Zusammenfassend können im weitesten Sinne des Beeinflussens der Wirtschaftlichkeit als zentrale Elemente des Qualitätsmanagements im Unternehmen angesehen werden:

1. Strategisch-konzeptionelle Arbeit (Marktforschung, Prognose)
2. Systemgestaltung (Unternehmenspolitik, Qualitätsmanagement-Systeme)
3. Prozeßoptimierung (Continuous Improvement Process)
4. Humankapitalentwicklung (Motivation).

Die gezielte Gestaltung von Aktivitäten des Qualitätsmanagements in den Unternehmen im Sinne einer Verbesserung der Wirtschaftlichkeit kann durch ein ROI-orientiertes Qualitätscontrolling wirksam unterstützt werden (s. Bild 4.13).

Bild 4.14 soll abschließend verdeutlichen, daß ein permanent an den sich entwickelnden Kundenanforderungen orientiertes Qualitätsmanagement zu einer Wirkungskette (Nutzenskette) führt und damit Voraussetzungen für langfristigen Unternehmenserfolg schafft.

4.8 Berichtswesen zu Fehlerkosten

4.8.1 Einführung

Zu unterscheiden ist zwischen der Berichterstattung über die Voruntersuchung und die fortlaufenden, periodischen Fehlerkostennachweise. Für alle Berichte gilt: Die Darstellung der ermittelten Daten muß geeignet sein, den Empfänger zur Einleitung von Korrekturmaßnahmen zu motivieren. Je besser das gelingt, um so größer ist die Wirkung von Berichten über eine Voruntersuchung sowie über periodisch durchgeführte Fehlerkostennachweise. Dieses Ziel wird erreicht, wenn die folgenden Grundsätze der Berichterstattung beachtet werden:

– Die Fehler müssen hierarchisch gegliedert sein (siehe Abschnitt 4.8.2). Sie müssen auf den Empfänger ausgerichtet werden, und zwar sowohl nach Umfang als auch nach Darstellungsform. Beides muß durch den Empfänger bestimmt oder zumindest beeinflußt werden

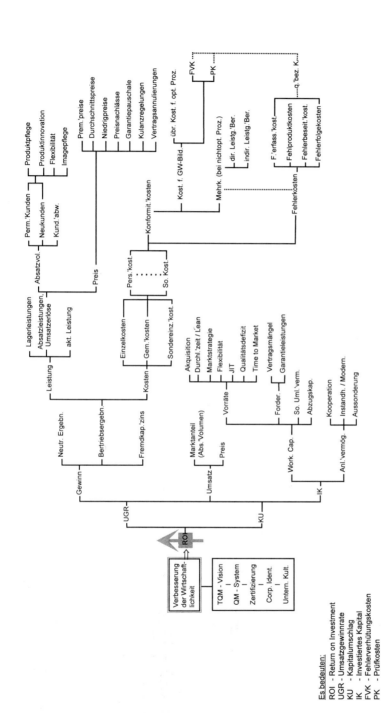

Bild 4.13: Prinzip für ROI-orientiertes Qualitätscontrolling

Es bedeuten:
ROI - Return on Investment
UGR - Umsatzgewinnrate
KU - Kapitalumschlag
IK - Investiertes Kapital
FVK - Fehlerverhütungskosten
PK - Prüfkosten
GW - Gebrauchswert

Bild 4.14: Wirkungskette (Nutzenskette) der Qualität

können. Im Gegensatz zur Definition der Fehlerkosten, die wegen der geforderten Vergleichbarkeit nicht geändert werden sollten (siehe Abschnitt 4.8.4), gilt für die Fehlerkostennachweise: Sie sollten ständig verbessert werden. Allerdings darf die sich erst allmählich einstellende schnelle Lesbarkeit nicht durch eine immer neue redaktionelle Anordnung der Ergebnisse beeinträchtigt werden.

Der wesentliche Inhalt der Fehlerkostennachweise sollte nicht nur in Zahlen und Tabellen, sondern ganz besonders auch in Graphiken dargestellt werden. Auch hier sollte die Gewöhnung an eingeführte Darstellungsformen (siehe Abschnitt 4.8.3) berücksichtigt werden.

– Für die Vergleichbarkeit (siehe Abschnitt 4.8.4) gilt der Grundsatz: Wichtig und aufschlußreich sind ganz besonders die sogenannten „Längsvergleiche" entlang einer Zeitachse. „Quervergleiche" zwischen Abteilungen oder gar zwischen unterschiedlichen Unternehmen führen vielfach zu Fehlurteilen, weil nicht jedesmal die unterschiedlichen Randbedingungen der jeweiligen Erfassung aufgezeigt werden können. Wichtig beim Längsvergleich ist die unveränderte Vergleichsbasis für alle Trendbeobachtungen sowie für jeglichen Vergleich mit zurückliegenden Erfassungsperioden oder – falls vorhanden – mit Planwerten (Zielvereinbarungen, Budgets).

4.8.2 Hierarchische Gliederung von Fehlerkostennachweisen

Leitlinien für die Gliederung sind:
– Der Berichtsempfänger muß die Möglichkeit haben, in seinem Verantwortungsbereich aufgrund des Berichtes mit Korrekturmaßnahmen auf ausgewiesene oder von diesen abhängi-

ge, nicht ausgewiesene Fehlerkosten Einfluß zu nehmen. Besonders wichtig ist daher die Kenntnis solcher Korrelationen. Auf sie sollte deshalb hingewiesen werden.

– Nur die vom Empfänger für solche Korrekturmaßnahmen benötigte Information sollte enthalten sein, nicht etwa alle Informationen aus den periodischen Ermittlungen der Fehlerkosten. Das bedeutet beispielsweise für den Fehlerkostennachweis für die oberste Leitung in komprimierter Form, daß auf maximal einer Seite anhand prägnanter Beschreibungen erkennbar sein sollte:

– Das Gesamtgeschehen des Unternehmens,
– die Teilergebnisse der Bereiche der nächsten Verantwortungsebene
– sowie die wesentlichen Entwicklungen gegenüber den Ergebnissen aus dem oder den Vorberichten

Was hier für die oberste Leitung erläutert ist, gilt sinngemäß für alle folgenden Hierarchie-Ebenen.

Existieren Budgets zu Fehlerkosten oder andere Planvorgaben oder Zielvereinbarungen, dann sollten Kennzahlen enthalten sein, inwieweit das Ziel erreicht oder die Forderung erfüllt ist. Die oberste Leitung wird solche Kennzahlenauswertungen zum Anlaß nehmen, die betreffenden Verantwortlichen gezielt anzusprechen, z. B. wenn die Budgets oder Ziele überschritten sind.

4.8.3 Darstellungsform

Für jede Verantwortungsebene sollte der Bericht mit einer graphischen Darstellung der Gesamtentwicklung des betreffenden Bereiches beginnen. Auf einem Blick soll sie die Entwicklung in den letzten Erfassungsperioden und damit sowohl positive als auch negative Trends erkennen lassen. Ein Kurzkommentar sollte diesen Gesamt-Trend hervorheben. In die Darstellung können mehrere Beurteilungsparameter einbezogen werden, beispielsweise die Linien gleichen Gesamtumfangs der erfaßten Fehlerkosten.

Details dazu sollten in der Form von Zahlenreihen als Anlagen beigefügt sein. Für alle Hierarchie-Ebenen wird, neben der alle Fehler einbeziehenden Gesamtdarstellung, diese detaillierte Darstellung empfohlen. Auf diese Weise erkennt der Verantwortliche, wo die Schwerpunkte ungünstiger Entwicklungen liegen. Er kann somit seine Korrekturmaßnahmen zielsicher einleiten. Um beispielsweise saisonale Schwankungen und damit möglicherweise Fehlentscheidungen zu vermeiden, sind Kennzahlen mit geeigneten Bezugsgrößen zur Verfügung zu stellen.

Grundsätzlich gilt für die Darstellungsform: Angesichts der heute verfügbaren maschinellen Darstellungsmöglichkeiten sollten Fehlerkostennachweise für alle Hierarchie-Ebenen auf der durch das Rechnungswesen gelieferten Datenbasis automatisch erstellt werden. Die Vorbereitung dieser Erstellungsart erfordert einen einmaligen Aufwand, für periodische Berichte rentiert er sich allemal.

Neben den routinemäßig für jede Erfassungsperiode erscheinenden Berichten über die Fehlerkostennachweise gibt es auch fallbezogene Sonderberichte. Ihre Darstellungsform kann von derjenigen der routinemäßigen Berichte abweichen, diese sollten dem betreffenden Vorfall angepaßt sein.

4.8.4 Längsvergleich der Fehlerkostennachweise

Vergleichsgrundlagen für Relativdarstellungen sollten abhängig von der Zeit unverändert gelten. Nur so können über längere Zeiträume hinweg die wahren Trends erkannt und gewichtete Korrekturmaßnahmen eingeleitet werden. Allerdings darf das kein Dogma werden. Einschneidende Änderungen innerhalb des Unternehmens, z. B. zum Programm der Angebotsprodukte, oder schwerwiegende Änderungen auf dem Markt und/oder der Technologie, können auch Änderungen von Fehlerkostenarten nötig machen. Dann aber sollte mindestens für ein Jahr eine Parallelauswertung und -darstellung mit alten und neuen Bezugsgrößen erfolgen.

Unmittelbar nach der Einführung von Fehlerkostennachweisen können die Ergebnisse der Voruntersuchung als Vergleichsbasis herangezogen werden. In dieser ersten Zeit der Anwendung von Fehlerkostennachweisen rangiert der Lerneffekt ohnehin vor der Vergleichsabsicht.

Allgemein verlangt die Einführung von Budgets zu Fehlerkosten oder von Zielvereinbarungen eine breite Kenntnis der Gesetzmäßigkeiten zu Fehlerkostentrends. So können bei Fehlerkosten Zufallseinflüsse erhebliche Änderungen positiver oder negativer Art auslösen, ohne daß dahinter irgendein „Verdienst" oder „Verschulden" steckt. Es gilt also, die systematischen Einflüsse von den zufälligen zu trennen. Dabei befindet man sich in der gleichen Situation wie in der Meßtechnik und auf vielen anderen Gebieten, nur daß der Zufallseinfluß hier einen nennenswerten Anteil an der Gesamtentwicklung hat.

Nach einer angemessenen Laufzeit von periodischen Fehlerkostennachweisen sollte angestrebt werden, für die Fehlerkosten Planwerte oder Zielwerte festzulegen. Das allerdings sollte in enger Abstimmung aller Beteiligten und Betroffenen in einer gemeinsamen Besprechung geschehen. Damit ist dann zwangsläufig eine Intensivierung des Nachdenkens über die tatsächlich wirkenden Einflußfaktoren verknüpft.

4.9 Nutzen aus den Fehlerkostennachweisen

Sehr viele Unternehmen beschränken sich heute noch darauf, in ihre Entscheidungen nur die im Rahmen des vorhandenen Rechnungswesens ausgewiesenen „Kosten der Fehler" einzubeziehen. Da die von der obersten Leitung, aber auch von den Führungskräften der darunterliegenden Hierarchie-Ebenen, zu treffenden Entscheidungen von immer größerer Tragweite sind, müssen die Entscheidungsgrundlagen sicherer werden. Es handelt sich bei Fehlerkosten eben nicht mehr ausschließlich um Kosten die nur das Produkt betreffen, sondern im wesentlichen um Kosten, die aus falsch geplanten oder falsch ausgeführten Tätigkeiten im gesamten Entstehungsprozeß eines Produktes von der Bedarfsfeststellung bis zur Anwendung resultieren.

Unter diesem Betrachtungswinkel geht es hier im Regelfall nicht um Kosten von 1 Prozent oder 2 Prozent vom Umsatz, sondern um Kosten, die in manchen Unternehmen Größenordnungen von 20 Prozent vom Umsatz übersteigen. Im Rechnungswesen sind sie zwar aller erfaßt, werden aber oft nicht separat ausgewiesen und sind somit Bestandteil der sogenannten „Gemeinkosten".

Ergebnisse aus Fehlerkostennachweisen sind Grundlage für die Planung und Realisierung einer auf die Verhältnisse des jeweiligen Unternehmens ausgerichteten Qualitätspolitik. Eine auf die aktuelle Marktsituation ausgerichtete Qualitätspolitik ist eine wesentliche Voraussetzung für den wirtschaftlichen Erfolg und die Überlebensfähigkeit eines Unternehmens.

Auf lange Sicht kann es sich kein Unternehmen mehr leisten, die Kosten für Fehler nicht zu erfassen und auszuwerten.

Fehlerbedingte Verluste sind interne und externe Verluste materieller und immaterieller Art. Betriebswirtschaftlich reflektieren sie sich in erhöhten Kosten, verringerten Umsatzerlösen und geschmälertem Gewinn.

5 Anwendungsbeispiele

5.1 Beispiel: Matrix zur Analyse des Unternehmensprozesses nach Bewertungskriterien

Problemstellung

Entwicklungskosten für elektronische Komponenten (EK) gegenüber Wettbewerbern um ca. 60% zu hoch.

Vorgehensweise

In der Matrix der Unternehmensprozesse wird der relevante Prozeßschritt identifiziert (Darstellung 5.1).

In diesem Beispiel wurden die Kostenüberziehungen im Prozeßschritt 2.5 – Produktentwicklung festgestellt. Die Spalten (6) Fehlleistungen und (7) Kennziffern geben weitere Hinweise zur Ursachenfindung.

Die weitere Analyse zeigte, daß Ausfälle bei den Prototypen und Qualifikationsprüfungen sehr häufig Änderungen in der Hard- und Software verursachten und sich dadurch Zeitverzögerungen von ca. 3 Monaten und Zusatzkosten von ca. 160.000,– DM ergaben.

Bei der weiteren Untersuchung der Abläufe und der angewandten Methoden (Spalte 3) stellte sich heraus, daß keine strukturierte Analyse zur Lokalisierung von potentiellen Fehlern (FMEA) durchgeführt wurde.

Eingeleitete Maßnahmen

1. Einführung der FMEA-Methode
a) Schulung der Mitarbeiter (Entwicklung, QS und Fertigungsplanung)
b) Beschaffung von DV-Programmen
c) Teambildung

Einführungszeit: 2 Monate
Einmalkosten: 60.000,– DM

2. Verbindliche Festlegung der FMEA im Produktentwicklungsablauf
Kosten pro Produkt: ca. 20.000,– DM

3. Verfolgung der Auswirkung auf
– Ausfälle
– Anzahl der Änderungen
– Zeit und Kosten

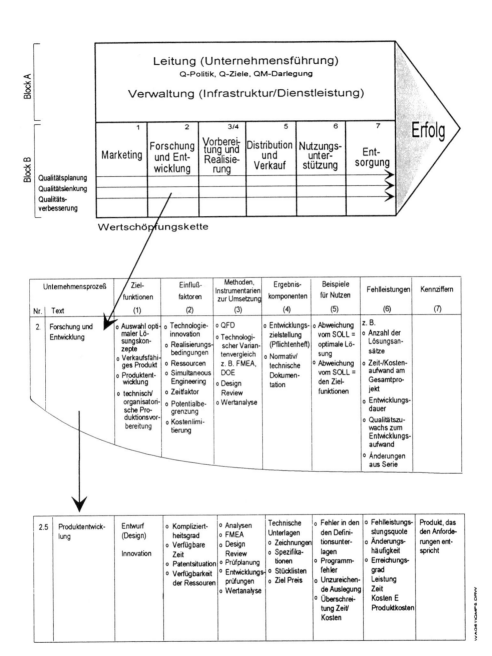

Bild 5.1: Anwendungsbeispiel der Matrix zur Analyse von Unternehmensprozessen

Ergebnisse nach Einführung der FMEA (Musterseite einer durchgeführten FMEA siehe Bild 5.2) bei vergleichbaren Produktentwicklungen über 2 Jahre:

a) Ausfälle während der Prototypen- und Qualifikationsprüfungen haben sich um 15 % reduziert.
b) Die Anzahl der Änderungen war um 5 % geringer.
c) Die Entwicklungszeiten konnten in der Regel eingehalten werden; Überzüge in Einzelfällen ca. 1 Monat. Kostenüberzüge wurden um 50 % reduziert.
d) Image beim Kunden wurde erhöht. Auswirkung: Zusatzbestellungen.
e) Die Amortisationszeit der Investition der Einmalkosten war kleiner als ein Jahr. Die Kosten der FMEA pro Produktentwicklung schwankte zwischen 15.000,– und 30.000,– DM.

5.2 Anwendungsbeispiel der Fa. Dasa:
Kosten in den Phasen von Forschung und Entwicklung bis hin zur Herstellung

Für das Hauptprodukt H, hergestellt in Kleinserie, wird kontinuierlich die Wirtschaftlichkeit des Qualitätsmanagements für die alten und neuen Modelle (H1, H2, H3) bewertet. Schwerpunkt der Betrachtung sind die QM-Prozesse: Forschung und Entwicklung, Herstellung und Nutzung. Der Betrachtungszeitraum ist 1985 bis 1992. Für das Produkt H1 wurde die Fertigung 1985 abgeschlossen, H2 ist zur Zeit in der Fertigung und für H3 sind der Abschluß der Entwicklung und die Erstauslieferung für Mitte 1994 geplant.

– In Tabelle 1 sind die Qualitätsprobleme und die Auswirkungen auf Kosten und Termine zusammengestellt.

FuE-Phase H3:

– Die Bilder 5.3 und 5.4 zeigen die Strukturierung und Planung, die zur Kosten/Zeiterfassung notwendig sind.
– Bild 5.5 zeigt die Soll-/Ist-Kosten-Aufzeichnung
– Bild 5.6 zeigt die Entwicklungskosten und den prozentualen Anteil qualitätsbezogener Kosten.

Herstellphase H2:

– Bild 5.7 zeigt die Entwicklung der Selbstkosten und der qualitätsbezogenen Kosten.
– Bild 5.8 zeigt die Kosten für Ausschuß und Nacharbeit und für Kundenabnahme.

Fazit:

Aufgrund der höheren Komplexität von H1, H2, und H3 im Verhältnis 1:2:10 sind zur Reduzierung des Entwicklungsrisikos höhere Aufwendungen für das Qualitätsmanagement notwendig.

F M E A		PROMIS München Version 3.30 01.08.1991			Teilename: Interface IC		Teilenummer: 117397	
Failure Mode and Effects Analysis		Konstruktions-FMEA	Version: 1 Status: 1		Modelljahr/Typ/Freigabetermin: 00.00.1992/ZAE/00.00.0000		Datum: 30.09.1992 Blatt: 14 von 58	
3.30.3		verantwortlicher Bereich: HKX betroffener Bereich: HKX/VAG6111 betroffener Lieferant:			Erstellt durch: am: MBB	Überarbeitet durch: am: 15.01.1992 MBB	Genehmigt: 30.09.1992	
PROMIS - München								
Merkmal/System Prozeß	potentielle Fehler des Fehlers	potentielle Folgen	O	potentielle Fehlerursachen	derzeitiger Zustand Verhütungs- und Prüfmaßnahmen	A B E RPZ	empfohlene Abstellmaßnahme	Verantwortlich Termin	verbesserter Zustand getroffene Maßnahme A B E RPZ
Fehlerhaftes Kontrollergebnis der Autarkietkon.- spg. mittels Komp. CA1 mit Int.	Falsch erkannter Autarkiespannungs- fehler		N	Fehlerhafter Komparator mit Interface	P: WAP IC (Prüfung des IC's beim Hersteller)	2 7 1 14			
				Fehlerhafter Widerstandsteller im CA1-Schalt- wandler	P: WAP IC (Prüfung des IC's beim Hersteller)	2 7 1 14			
Keine Information über Autarkiefall an Pin VIA	Ungewollte Ent- ladung der Zünd- kondensatoren im Autarkiefall		N	Transistor nicht durchsteuerbar	P: WAP IC (Prüfung des IC's beim Hersteller)	2 7 1 14			

Bild 5.2: Musterseite einer durchgeführten FMEA

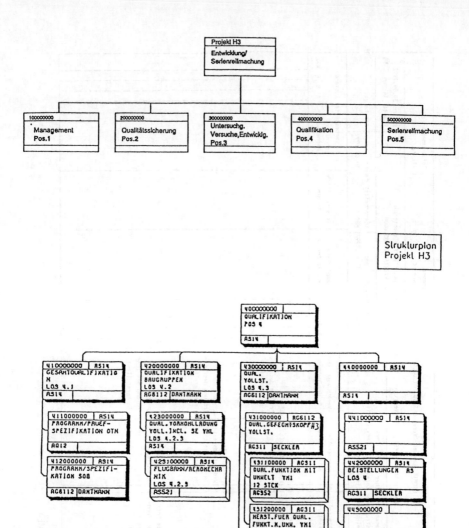

Bild 5.3: Strukturplan des Projektes H3

Die Selbstkosten der Herstellung wie auch die qualitätsbezogenen Kosten für H2 konnten aufgrund der Zielsetzungen für das Management und der monatlichen Soll-/Ist-Vergleiche reduziert werden.

Die Reklamation beruhte auf einem Entwicklungsfehler.

PRODUKT: H 3

LFD NR	PSPN R	VORG ANG	BESCHREIBUNG	DURCH GES V	1991 / 1992 JUL AUG SEP OKT NOV DEZ JAN FEB MRZ APR MAI JUN JUL AUG SEP OKT NOV DEZ	LFD NR
1	2120	0030	FREIGABE PV'S VON AES/EN/DPFA	AG611	■	1
2	2120	0040	ENSTELLEN ZUVERLAESS.-ANALYSE HOT	AG611	▨──2	2
3	2120	0010	QS-AUFGABEN SOD	AG611		3
4	2120	9900	ABSCHLUSS QS-AUFGABEN SOD	AG611		4
5	2200	0010	GUETEPRUEFUNG SOD	AG613	──────5	5
6	2920	0010	EINZELFORDERUNGEN SOD	AG611	──────6	6
7	3120	0010	A26 FUNKTIONSABLAUF INERTER HL 6 ST	AG611	■ ■	7
8	3300	0011	ERST. BERICHT ZUVERLAESSIGKEIT	AG611	▨───9	8
9	3300	0010	ZUVERLAESSIGKEIT	AG611		9
10	4311	0031	QUALIFIKATION H3	AG611	▨───10	10
11	4311	0010	DURCHF.UMWELT H3 16+12 ST	AG611	──11	11
12	4311	0012	DURCHF.UMWELT H3 12 ST	AG611	──12	12
13	4311	0030	ABSCHLUSS QUALIFIKATION	AG611	13 ■	13
14	5100	0090	QS-PLANUNG	AG612	▨▨▨▨▨▨▨▨▨▨▨14	14
15	5500	0010	K-STAND (NACHWEIS)	AG611		15

Bild 5.4: Planung des Projektes H3

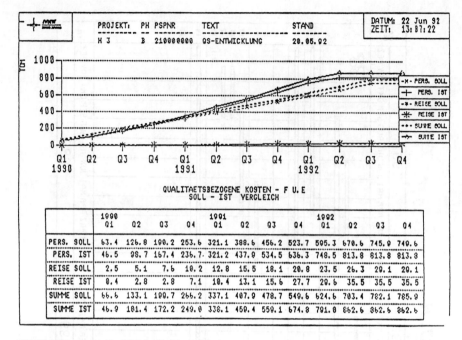

Bild 5.5: Soll/Ist-Kosten-Vergleich des Projektes H3

5.3 Beispiel eines Leitfadens zur Erfassung und Berichterstattung der Fehlleistungskosten

1 Zweck und Zielsetzung

Die Aufwendungen für fehlerfreie Marketing-, Entwicklungs-, Fertigungs-, Vertriebs-, Service- und Verwaltungsprozesse sind Produktkosten. Maßnahmen zur Sicherung der Qualität sind integrale Bestandteile der einzelnen Prozeßschritte und demzufolge in den Prozeßkosten zu berücksichtigen. Alle Aufwendungen zur Beseitigung von Fehlern und deren Ursachen im Prozeßablauf, am Produkt und bei Dienstleistungen sind Fehlleistungskosten.

Schwachstellen müssen unmittelbar am Ort ihrer Entstehung festgestellt und beseitigt werden, da die Fehlleistungskosten um so höher ansteigen, je später Fehler gefunden werden.

Die Erfassung und Berichterstattung von Fehlleistungskosten gibt Ansatzpunkte und Hinweise zur Beseitigung von Fehlern bzw. Schwachstellen und zeigt die Wirkung von Verbesserungsmaßnahmen.

Die hier beschriebene Methodik ist nach den Grundregeln des neuen Rechnungswesens gestaltet und abgestimmt auf die Erfordernisse des Qualitätsmanagements. Die Erfassungs- und Auswertungs-Richtlinien der Bereiche sind weitgehend berücksichtigt.

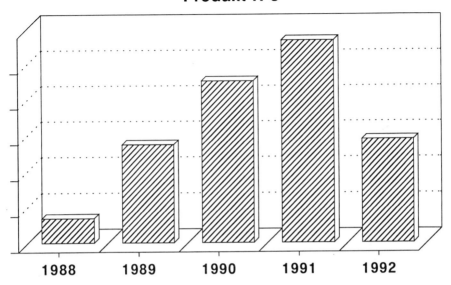
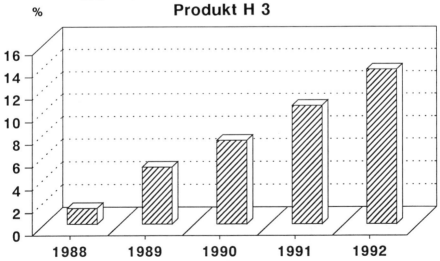

Bild 5.6: Entwicklungskosten zum prozentualen Anteil der qualitätsbezogenen Kosten

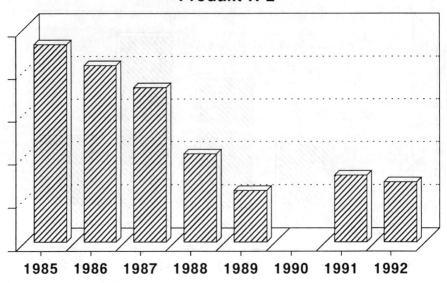

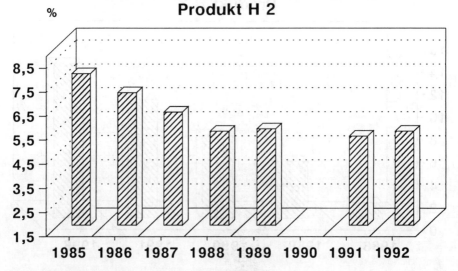

Bild 5.7: Entwicklung der Selbstkosten und der qualitätsbezogenen Kosten

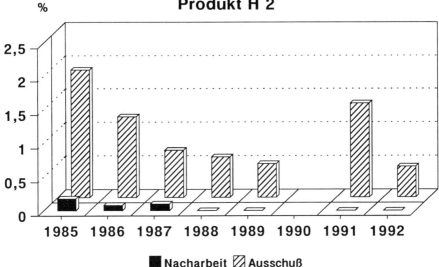

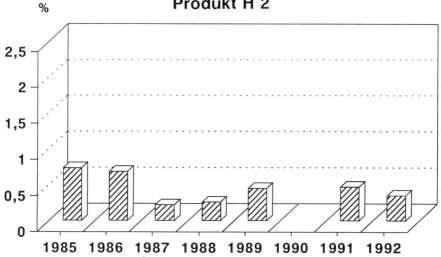

Bild 5.8: Kosten für Ausschuß und Nacharbeit und für Kundenabnahme

2 Sichern der Qualität – ein integraler Bestandteil aller Arbeitsprozesse

Ziel aller im Unternehmen Beschäftigten muß es sein, zur Gewährleistung der dem Kunden zugesicherten Qualität die Beherrschung der Arbeitsprozesse und -abläufe ständig zu verbessern. Hohe, gleichbleibende Qualität läßt sich nur erreichen und auf Dauer aufrechterhalten, wenn die Prozesse der Leistungserstellung sicher beherrscht werden. Dabei ist es wichtig, daß Qualitätsziele wirtschaftlich verwirklicht werden. Schließlich entscheidet über Produkte am Markt nicht nur die Leistungsfähigkeit, sondern in erster Linie das Preis-Leistungsverhältnis und der Kundennutzen.

Konsequente vorbeugende und fehlervermeidende Maßnahmen in allen Phasen des Produktentstehungs- und -verwendungsprozesses und das Engagement aller Mitarbeiter sind notwendige Voraussetzungen. Das erfordert Vorleistungen bezüglich Personalqualifikation, Materialeignung, Technologietauglichkeit, Prozeßfähigkeit und Organisation der Verfahrensabläufe. Aufgabe des Managements ist es, die dazu notwendigen Vorleistungen festzulegen und durchzusetzen.

Fehler müssen schnell erfaßt und mit ihren Ursachen beseitigt werden. Zur Erfassung dienen Meßgrößen, wie z. B. Änderungshäufigkeit, fehlerhafte Einheiten, Terminabweichungen usw. Die Bewertung der durch Fehler verursachten Abweichungen (Mehrmengen und -zeiten) ergeben die Fehlleistungskosten.

3 Definition der Fehlleistungskosten

Fehlleistungskosten sind Kosten für das Suchen und Beseitigen von Fehlern bzw. Schwachstellen und deren Ursachen, die dadurch entstehen, daß Produkte, Prozesse oder Dienstleistungen nicht den vereinbarten Anforderungen entsprechen. Sie werden unterschieden nach:

– Fehlleistungskosten vor Auslieferung an den Kunden und
– Fehlleistungskosten nach Auslieferung an den Kunden.

Fehlleistungskosten vor Auslieferung sind Kosten, die dadurch entstehen, daß Produkte, Prozesse oder Dienstleistungen nicht fehlerfrei sind und die Fehler noch vor der Lieferung an den Kunden entdeckt bzw. korrigiert werden (z. B. wiederholte Arbeitsgänge in der Entwicklung, erneute Herstellung von Teilen, Baugruppen und Produkten in der Fertigung usw.).

Fehlleistungskosten nach Auslieferung sind Kosten, die aus Fehlern resultieren, die erst nach der Auslieferung an den Kunden entdeckt wurden (z. B. anläßlich Kundendienst, Garantieleistungen, Ersatzlieferungen, Gewährleistungszahlen, Verzugsentschädigungen, Kosten für Produktrückrufe, Produkthaftungskosten).

Fehlleistungskosten können in allen Arbeitsprozessen und damit in allen Funktionsbereichen, also in Marketing, Entwicklung, Projektierung, Fertigung, Vertrieb, Service, Verwaltung anfallen.

4 Ermittlung der Fehlleistungskosten

Ausgangspunkt für die Erfassung der Fehlleistungskosten ist die Ermittlung der Mengen und Zeiten, die zusätzlich erforderlich sind, um Fehler bzw. Schwachstellen und deren Ursachen zu beseitigen.

Diese zusätzlichen Mengen und Zeiten können in den Kostenstellen sämtlicher Funktionsbereiche anfallen und schlagen sich in folgenden Funktionskosten der Gewinn- und Verlustrechnung nieder:

- Umsatzkosten
- Vertriebskosten
- F & E-Kosten
- Verwaltungskosten.

Zur Ermittlung der Fehlleistungskosten sind die anfallenden Mehrmengen (Material, Erzeugnisse, Handelswaren, Hilfsstoffe usw.) und Mehrzeiten (Arbeitsstunden, Maschinenlaufzeiten usw.) mit den entsprechenden Wertansätzen zu bewerten. Hierbei ist zu gewährleisten, daß alle durch Mehrmengen und -zeiten verursachten zusätzlichen Aufwendungen (Material-, Personal-, Kapitalaufwendungen, Steuern, Versicherungen, Sach- und Dienstleistungen usw.) berücksichtigt werden.

Ebenso mit einzubeziehen sind von Dritten verrechnete Kosten, deren Ursachen unmittelbar mit dem Fehler zusammenhängen. Hierzu gehören beispielsweise:

- Reisekosten
- zusätzliche Transportkosten
- zuzsätzliche Kosten der Lagerung
- Kosten für externe Monteure usw.
- Kosten für externe Gutachten usw.

Es ist außerdem sicherzustellen, daß produktiv abgedeckter (kalkulierter) Mehraufwand in die Berichterstattung der Fehlleistungskosten mit einbezogen wird.

Die Erfassung der Fehlleistungskosten ist grundsätzlich auf statistischem Wege (z. B. Kostenstellenauswertung, bewertete Mehrmengenerfassung) getrennt nach

- Fehlleistungskosten vor Auslieferung
- Fehlleistungskosten nach Auslieferung

vorzunehmen. Der Gesamtumfang der Fehlleistungskosten kann, je nach bereichsspezifisch ausgestalteter Buchungspraxis, über den im Kontenplan unter den Kostenarten „Mehrkosten" definierten und gebuchten Anteil hinausgehen.

5 Berichterstattung über Fehlleistungskosten

Die absolute und relative Höhe der Fehlleistungskosten, aber mehr noch ihre Entwicklung im Zeitablauf läßt Rückschlüsse darauf zu, inwieweit Zielsetzungen erreicht werden und welches

Potential für Produktivitätssteigerungen und zur Erzielung von Wettbewerbsvorteilen auf diesem Gebiet liegt.

Die Erfassung von Mehrmengen und -zeiten und ihre Bewertung sind bereichsindividuell zu präzisieren. Derartig ausgestaltete Ausführungsbestimmungen sollen

– in Arbeitsanweisungen für alle Organisationseinheiten eingebunden und
– mit Angaben über Erfassungsmethoden, Erfassungsbeispiele, Zuständigkeiten usw.

präzisiert werden.

Der Erfassungszeitraum ist bereichsindividuell festzulegen, mindestens jedoch halbjährlich. Die Erfassungsmethodik soll in den Folgejahren möglichst nicht geändert werden, damit die Vergleichbarkeit im Zeitablauf gewährleistet ist. Bei Änderungen sind die Vorjahre vergleichbar zu machen.

Berichte über qualitätsverbessernde Maßnahmen und Fehlleistungskosten sind Bestandteil der Berichterstattung der Bereiche, Teil der Abschluß- und Zielgespräche und der geschäftspolitischen Durchsprachen. Dazu ist es zweckmäßig, jährliche Vorgaben zur Reduzierung der Fehlleistungskosten im Zusammenhang mit den übrigen Geschäftszielen festzulegen.

6 Maßnahmen zur Qualitätsverbesserung

Berichte über Fehlleistungskosten zeigen Fehler und Schwachstellen im Prozeßablauf auf und geben Hinweise zur Planung und Realisierung von Qualitätsverbesserungsmaßnahmen. Die Bereiche legen die für ihr Geschäft notwendigen Ziele zur Prozeßverbesserung und Qualitätssteigerung nach Kostenschwerpunkten geordnet fest. Zur Realisierung werden Projekte mit Meilensteinen und Verantwortungsregelungen definiert. Besonders erfolgversprechend sind dabei Verbesserungsmaßnahmen, die zur Verminderung oder Vermeidung von Fehlleistungen in den frühen Phasen der Produktentstehung von Marketing und Entwicklung beitragen.

Der Projektleiter verfolgt den Projektfortschritt und die Wirkung der Verbesserungsmaßnahmen anhand von bewertbaren Meßgrößen. Soweit notwendig, können dazu auch

– Aufwendungen für Fehlerverhütungs-Maßnahmen und/oder
– Aufwendungen für das Feststellen von Fehlern (Planen, Testen usw.)

erfaßt und ausgewertet werden. Beide Aufwandsgrößen sind Bewertungsmaßstäbe zur Projektführung und können, bei richtiger Abstimmung, maßgeblich zur Verminderung der Fehlleistungen beitragen.

Ergebnisse von Verbesserungsmaßnahmen und die daraus resultierenden Folgerungen sind in Organisations- bzw. Arbeitsanweisungen einzuarbeiten, um künftig Fehlleistungen und Qualitätsmängel in den behandelten Arbeitsabläufen zu vermeiden. Der generelle Erfolg von Verbesserungsmaßnahmen ist anhand der Berichterstattung über Fehlleistungskosten nachweisbar und kann unmittelbar am Geschäftsergebnis gemessen werden.

7 Geltungsbereich und praktische Anwendung

Der Leitfaden zur Erfassung und Berichterstattung von Fehlleistungkosten gilt für unser Unternehmen und die angeschlossenen Gesellschaften. In den regionalen Einheiten der Landesgesellschaften ist sinngemäß zu verfahren. Die bisherige Rahmenempfehlung zur „Definition, Erfassung, Berichterstattung von Qualitätskosten" vom April 1987 wird durch diesen Leitfaden ersetzt.

Zur praktischen Anwendung des Leitfadens in den Funktionsbereichen Marketing, Entwicklung, Fertigung, Vertrieb, Service und Verwaltung sind bei Bedarf zusätzliche Auslegungs- und Anwendungsregeln von den geschäftsführenden Bereichen oder von funktionsspezifischen Fachgremien zu erarbeiten. Sie bilden die Grundlage für detaillierte Ausführungsbestimmungen, die den jeweiligen Geschäften anzupassen sind.

Die bisherige Praxis zeigt, daß produktionsnahe Organisationseinheiten meist über ausreichende Erfassungs- und Auswertungs-Regelungen verfügen. In den frühen Phasen der Produktentstehung werden dagegen Fehlleistungskosten häufig unvollständig bzw. überhaupt nicht erfaßt. Die Anwendung und Nutzung des Leitfadens soll sich deshalb vor allem auf die letztgenannten Phasen bzw. Arbeitsprozesse beziehen.

Fachberatung und Einführungsunterstützung zur praktischen Anwendung des Leitfadens und zur Einleitung von Maßnahmen zur Qualitätsverbesserung erhalten Anwender und Interessenten.

Beispiel: Montageprozeß

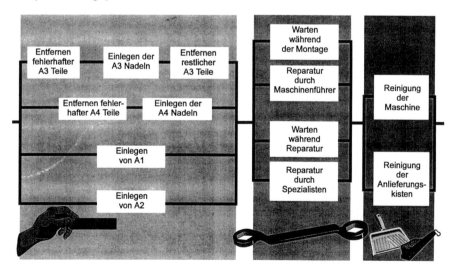

Bild 5.9: Montageprozeß (abgewandeltes Beispiel)

5.4 Beispiel zum kostenorientierten Qualitätsmanagement [19]

Aufgrund eines Unterlagenstudiums ergeben sich für den in Bild 5.9 (Seite 67) schematisch abgebildeten Montageprozeß die Tätigkeiten. Das Produkt besteht aus vier Einzelteilen A1 bis A4, die jeweils durch den Maschinenbediener in einen Spender eingegeben werden und dann für die Montage bereitstehen. Die Montage erfolgt, indem das Teil A2 genommen wird und die Teile A3, A4, das zweite Teil A3 und schließlich das Teil A1 angefügt und miteinander verschweißt werden. A1 und A2 werden ungeordnet in Kisten angeliefert, die Teile A3 und A4 sind auf Nadeln angeordnet und in Kisten verpackt.

Das Eingeben der vier Teile in den Spender erfolgt bei Bedarf durch den Maschinenbediener, wobei fehlerhafte Teile, soweit sie als solche erkennbar sind, ausgesondert werden. Da die anschließende Montage weitgehend automatisch verläuft, kommt es zu Wartezeiten des Maschinenbedieners. Kleinere Reparaturen, die für die Montageeinrichtung häufig notwendig werden, nimmt der Maschinenbediener selbst vor. Aufwendigere Reparaturen werden durch Mitarbeiter erledigt, die für Reparaturen spezialisiert sind und nur dazu eingesetzt werden. Während der Reparatur der umfangreicheren Schäden wartet der Maschinenbediener. Eine automatische Prüfeinrichtung unterscheidet nach erfolgter Montage fehlerhafte von korrekt montierten Produkten und schaltet bei fehlerhaft montierten Produkten den Montageprozeß ab. Der Maschinenbediener kann dann mit der Ursachensuche und -behebung beginnen. Eventuell ist eine Reparatur nötig. Die Reinigung von Maschine und Anlieferungskisten wird vom Maschinenbediener vorgenommen. Diese Tätigkeiten werden in die Tätigkeitstabelle (Tabelle 5.10) mit dem Zeitbedarf in Stunden pro Woche eingetragen. Es wird in diesem Beispiel nicht zwi-

Kostenstelle	Abteilung		Funktion innerhalb der Abteilung				Wochenarbeitszeit		Datum	Seite
Teil A: *Geplante* Tätigkeiten/Aufgaben im Zusammenhang mit der Produkt-/Leistungsdarstellung										
Nr.	Tätigkeit laut Stellenbeschreibung	Zeitbedarf Std./Woche	verwendete Arbeitsmittel	Anzahl	Nr	geplante Tätigkeiten außerhalb der Kostenstelle	Zeitbedarf Std./Woche	verwendete Arbeitsmittel		Anzahl
	Summe					Summe				

Tabelle 5.10: Tätigkeitstabelle für geplante Tätigkeiten (Muster)

Kostenstelle	Abteilung			Funktion innerhalb der Abteilung			Wochenarbeitszeit		Datum	Seite
Teil B: *Zusätzliche* Tätigkeiten/Aufgaben im Zusammenhang mit der Produkt-/Leistungsdarstellung											
Nr.	Tätigkeit aufgrund Maschinen-, Produkt-, Packmittel-fehlern, o.a. Unzulänglichkeiten	Zeitbedarf Std./Woche	verwendete Arbeitsmittel	Anzahl	Nr	Tätigkeit aufgrund unzulänglicher innerbetrieblicher Abläufe	Zeitbedarf Std./Woche	verwendete Arbeitsmittel	Anzahl
	Summe Übertrag Gesamt					Summe Übertrag Gesamt			

Tabelle 5.11: Tätigkeitstabelle für zusätzliche ungeplante Tätigkeiten (Muster)

schen geplanten und zusätzlichen Tätigkeiten unterschieden, somit sind auch diese Eintragungen in die beiden Tabellen (5.10 und 5.11) erforderlich.

Aus der Tätigkeitstabelle (Tabelle 5.10), die die Einzeltätigkeiten zur Bedienung zweier Montagemaschinen enthält, läßt sich die Tätigkeitsmatrix (Tabelle 5.12) erstellen. Dazu wurde eine Einteilung in die Leistungsarten der Prozesse vorgenommen.

Die Bewertung der Tätigkeiten (Tabelle 5.13) ergibt die in den Kästchen der Tätigkeitsmatrix notierten Kosten pro Tätigkeit, die für jede Leistungsart summiert werden können. Die Kosten werden anhand der Personalkosten für Maschinenbediener und Reparaturspezialist sowie des Maschinenstundensatzes berechnet.

Personalkostensatz des Maschinenbedieners: 45 DM/Std.
Personalkostensatz des Reparaturspezialisten: 65 DM/Std.
Maschinenstundensatz ohne Bedienungsanteil: 105 DM/Std.

Aus den mit Kosten bewerteten Tätigkeiten läßt sich der Prozeßwirkungsgrad für diesen Montageprozeß W_p wie folgt berechnen:

$$\begin{aligned} W_p &= \text{Nutzleistung / Summe der aufgewendeten Kosten} \\ &= \text{Nutzleistung / Nutz- + Stütz- + Blind- + Fehlleistung} \\ &= 5040 \text{ DM} / 5040 \text{ DM} + 3677 \text{ DM} + 3455 \text{ DM} + 2145 \text{ DM} \\ &= 5040 \text{ DM} / 14317 \text{ DM} \\ &= \underline{0{,}34} \end{aligned}$$

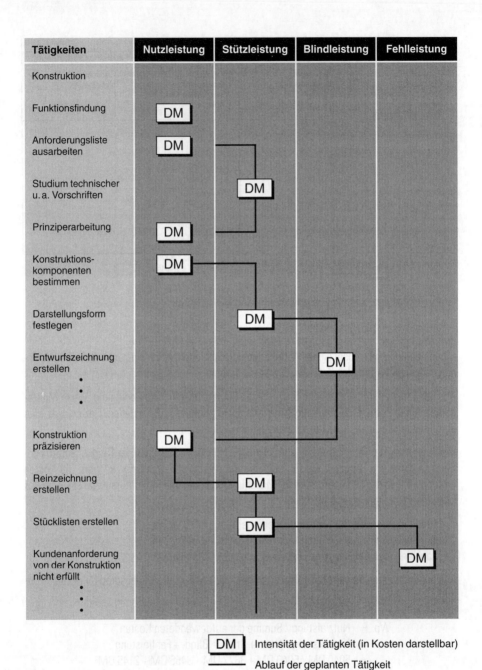

Tabelle 5.12: Tätigkeitsmatrix (Muster mit Beispiel)

Nr.	Tätigkeit	Zeitbedarf Std./Woche	verwendetes Arbeitsmittel	Anzahl
1.	Entfernen fehlerhafter A3 Teile	4	-.-	-.-
2.	Einlegen der A3 Nadeln	15		
3.	Entfernen restlicher A3 Teile	4		
4.	Entfernen fehlerhafter A4 Teile	4		
5.	Einlegen der A4 Nadeln	10		
6.	Einlegen von A1	1,5		
7.	Einlegen von A2	0,6		
8.	Produktion	48		
9.	Maschinenstillstand	17		
10.	Ursachensuche für Maschinenstillstand	32		
11.	Reparatur von Kleinstfehlern	19		
12.	Reparatur durch Reparaturspezialisten	18		
13.	Warten während der Reparatur	9		
14.	Maschinenreinigung	1,5		
15.	Reinigung der Anlieferungskisten	4		
16.	Sonstige	19		

Tabelle 5.13: Tätigkeitstabelle eines Montageprozesses (abgewandeltes Beispiel)

Nr.	Montage/Tätigkeit	Nutz-leistung	Stütz-leistung	Blind-leistung	Fehl-leistung
1.	Entfernen fehlerhafter A3 Teile Maschinenbediener				180
2.	Einlegen der A3 Nadeln Maschinenbediener		675		
3.	Entfernen restlicher A3 Teile Maschinenbediener			180	
4.	Entfernen fehlerhafter A4 Teil Maschinenbediener				180
5.	Einlegen der A4 Nadeln Maschienenbediener		450		
6.	Einlegen von A1 Maschinenbediener		67,5		
7.	Einlegen von A2 Maschinenbediener		27		
8.	Produktion	5040			
9.	Maschinenstillstand nach Produktion fehlerhafter Produkte				1785
10.	Ursachensuche für Maschinenstillstand Maschinenbediener		1440		
11.	Reperatur von Kleinstfehlern Reparaturspezialisten			1225	
12.	Reparatur durch Reparaturspezialisten			1170	
13.	Warten während der Reparatur Maschinenbediener			405	
14.	Maschinenreinigung Maschinenbediener		67,5		
15.	Reinigung der Anlieferungskisten Maschinenbediener		180		
16.	Sonstige		770	465	
	Summe der Kosten	**5040**	**3677**	**3455**	**2145**

Tabelle 5.14: Tätigkeitsmatrix des Montageprozesses (abgewandeltes Beispiel, Kosten in DM)

Zur Verbesserung des Prozeßwirkungsgrades, und damit der Produktivität, müssen die Ursachen von Fehl- und Blindleistungen behoben werden. Stützleistungen müssen zu einem wirtschaftlichen Optimum geführt werden, und die Nutzleistungen werden somit hinsichtlich ihrer Effizienz und Effektivität verbessert.

Für das hier gewählte Beispiel wird aus Tabelle 5.14 deutlich, daß der Maschinenstillstand nach Produktion fehlerhafter Teile (Fehlleistung) und anschließender Suche nach Ursachen (Stützleistung) bzw. Reparatur (Blindleistung) ca. 65 Prozent der Arbeitszeit des Maschinenbedieners ausmacht. Der hohe Anteil der Nutzleistungen (35 Prozent liegt weit über dem, was als Weltspitze angesehen wird) an diesem beschriebenen Prozeß ergibt sich aus den Verbesserungen, die an dem Beispielprozeß durchgeführt wurden.

Zur Prozeßverbesserung kann bei der Montageeinrichtung angesetzt werden, um Stütz- und Blindleistungen aufgrund von Maschinenstillstand zu eliminieren.

6 Literatur

[0] **DGQ-Schrift 14–17:** Qualitätskosten 5. Auflage 1985, Beuth Verlag, Berlin, Wien, Zürich.

[1] **American Supplier Institute (Hrsg.):** Quality Function Deployment – awareness manual (Version 2.1), American Supplier Institute Press, Dearborn, Michigan, 1989.

[2] **Berger, R.; Hirschbach, O.:** „Time Cost Leadership", Ein neues Management-Konzept eröffnet europäischen Unternehmen den Weg zur Überlegenheit im weltweiten Wettbewerb, in: Qualitätsstrategien, Anforderungen an das Management der Zukunft, Segezzi, H.D.; Hansen, J.R. (Hrsg.), Hanser, München, 1993.

[3] **Bircher, B.:** Langfristige Unternehmensplanung. Bern, Stuttgart 1976.

[4] **Bröckelmann, J.:** Entscheidungsorientiertes Qualitätscontrolling. Ein Instrument der ganzheitlichen Qualitätssicherung, Gabler, Wiesbaden, 1995.

[5] **Bromm, H.:** Ein Ziel- und Kennzahlensystem zum Investitionscontrolling komplexer Produktionssysteme, Springer, Heidelberg, 1992.

[6] **Buggert, W.; Wielpütz, A.:** Target Costing, Grundlagen und Umsetzung des Zielkostenmanagements, Hanser, München, 1995.

[7] **Crosby, P.B.:** Qualität ist machbar, McGraw Hill, Hamburg, 1990.

[8] **Deutsche Gesellschaft für Qualität (Hrsg.):** DGQ-Schrift Nr. 14–23, Qualitätskennzahlen (QKZ) und Qualitätskennzahlensysteme, Beuth, Berlin, 1991

[9] **EFQM European Foundortion for Quality Management und EOQ:** European Quality Award, Application Brochure 1993.

[10] **Feigenbaum, A.V.:** Total Quality Control, McGraw Hill, New York, 1983.

[11] **Horváth, P.; Urban, G.:** Qualitätscontrolling, C.E. Poeschel, Stuttgart 1990.

[12] **International Standard Organisation:** ISO/TC 176/SC3/WG3/N52, Final Working Draft, Economic Effects of Total Quality Management, CD 10 014, erarbeitet, January 21, 1993.

[13] **Meyer, C.:** Kennzahlen und Kennzahlensysteme, Poeschel, Stuttgart, 1976.

[14] **N.N.:** REFA, Methodenlehre und Arbeitsstudium, Teil 2: Datenermittlung, Hanser, München, 1978.

[15] **Porter, M. E.:** Competitive Strategies. Techniques for Analyzing Industries and Competitors. New York, London 1980.

[16] **Reichmann, Th.; Lachnit, L.:** Planung, Steuerung und Kontrolle mit Hilfe von Kennzahlen, in: ZfbF, 28. Jg. (1976) S. 705–723.

[17] **Reichmann, Th.:** Controlling mit Kennzahlen, Grundlagen einer systemgestützten Controllingkonzeption, Vahlen, München, 1985.

[18] **Reichmann, Th.:** Controlling mit Kennzahlen und Managementberichten, Vahlen, München 1993.

[19] **Tomys, A.-K.:** Kostenorientiertes Qualitätsmanagement, Hanser, München, 1995.

[20] **Welge, M.-K.:** Unternehmensführung Band 1: Planung. Sammlung Poeschel, Stuttgart 1985.

[21] **Wildemann, H.:** Kosten- und Leistungsbeurteilung von Qualitätssicherungssystemen, in: Zeitschrift für Betriebswirtschaft, ZfB 62. Jg. (1992) 7, S. 761–782.

[22] **DGQ-Schrift 11–04:** Begriffe zum Qualitätsmanagement 6. Auflage 1995, Beuth Verlag, Berlin, Wien, Zürich.

7 Stichwortverzeichnis

Abfall	8.8
– qualitätsbedingter	8.8.1.1
– unvermeidbarer	8.8.1
– vermeidbarer	8.8.2
Anbieter*	8.2
Angebotsprodukt	8.5
Auftraggeber	8.4.1
Auftragnehmer	8.2.1
Aufwand	8.9
Ausschuß	8.6.5
Bedarfsbedingtes Fehlprodukt	8.6.4
Betrieb*	8.1
Effektivität	8.15
Effizienz	8.16
Erfolg	8.13
Ertrag	8.11
Externe Fehlerkosten*	8.20.3
Externe QM-Darlegungskosten	8.20.4
Fehler	8.19
Fehlerfolgekosten	8.20.3.3
Fehlerkosten	8.20.3
– externe*	8.20.3
– interne*	8.20.3
Fehlerverhütungskosten	8.20.1
Fehlleistungsaufwand*	8.9
Fehlprodukt	8.6
– bedarfsbedingtes	8.6.4
– fertigungsbedingtes	8.6.2
– lagerungsbedingtes	8.6.3
– montagebedingtes	8.6.2
– qualitätsplanungsbedingtes	8.6.1
– tranportbedingtes	8.6.3
Fertigungsbedingtes Fehlprodukt	8.6.2
First party*	8.2.1
Gesellschaft*	8.1
Gewährleistung	8.22
Institution*	8.1
Kosten	8.10
Kunde	8.4
Ladenhüter*	8.6.4
Lagerungsbedingtes Fehlprodukt	8.6.3
Lieferant	8.2
Mangel*	8.19
Montagebedingtes Fehlprodukt	8.6.2
Nacharbeit	8.7
Nichtkonformität	8.19
Organisation	8.1
Produkthaftung	8.23
Prüfkosten	8.20.2
Qualität	8.24
Qualitätsbedingter Abfall	8.8.1.1
Qualitätsbezogene Kosten	8.18
Qualitätsbezogene Verluste	8.17
Qualitätsdaten	8.26
Qualitätskosten*	8.18
Qualitätskostendaten	8.21
Qualitätskosten-Element	8.20
Qualitätskostennachweis*	8.18
Qualitätskosten-Quervergleich*	8.20
Qualitätskostenrechnung*	8.18
Qualitätsmanagement	8.25
– umfassendes	8.26
Qualitätsmanagement-Element	8.25.3
Qualitätsmanagementsystem	8.25.2
Qualitätsplanungsbedingtes Fehlprodukt	8.6.1
Second party*	8.4.1
Sortierprüfung	8.20.3.1
Sortierwirkungsgrad*	8.20.3.1
Transportbedingtes Fehlprodukt	8.6.3
Umfassendes Qualitätsmanagement	8.25.1
Umsatzerlös	8.12
Unbrauchbares Material*	8.6.4
Unterauftraggeber	8.3.2
Unterauftragnehmer	8.3.1
Unterlieferant	8.3
Unternehmen*	8.1
Unvermeidbarer Abfall	8.8.1
Vermeidbarer Abfall	8.8.2
Wiederholungsprüfung	8.20.3.2
Wirtschaftlichkeit	8.14
Zulieferant*	8.3

8 Anhang

8.1 Begriffe

Vorbemerkungen zu dieser Begriffsammlung:

Die für diese Schrift nachfolgend ausgewählten Begriffe wurden zum Teil aus mehreren fachlich einschlägigen Quellen entwickelt, meist jedoch stammen sie (weiterentwickelt nach neuestem Stand der nationalen und internationalen Normung) aus der DGQ-Schrift 11–04 „Begriffe zum Qualitätsmanagement", 6. Auflage 1995 [22]. Sie waren beispielsweise der Neufassung DIN EN ISO 8402:1995 anzupassen. Alle qualitätsbezogenen DIN-Normen wurden berücksichtigt. Anmerkungen nur für diese Schrift sind als „Ergänzender Hinweis" bezeichnet.

Die nachfolgende Gliederung der Begriffe ist dem Zweck der vorliegenden Schrift angepaßt.

Gliederung der Begriffe:
Gruppe 1: Organisationsbezogene Begriffe
Gruppe 2: Produktbezogene Begriffe unter Berücksichtigung von Fehlprodukten
Gruppe 3: Nacharbeit und Abfall
Gruppe 4: Allgemeine und qualitätsbezogene Begriffe
Gruppe 5: Qualitätsbezogene Begriffe
Gruppe 6: Auswahl der Instrumentarien zur Ableitung quantitativer Wirtschaftlichkeitsziele

In der nachfolgenden Begriffsammlung sind die Begriffe in der obigen Reihenfolge aufgeführt. Die Begriffsbenennungen finden sich auch im alphabetischen Stichwortverzeichnis.

Wenn in der nachfolgenden Begriffsammlung in einer Definition eine der obigen Benennungen benutzt wird, ist dahinter in Klammern die zugehörige Nummer als Querverweis angegeben.

BEGRIFFSAMMLUNG

GRUPPE 1: Organisationsbezogene Begriffe

8.1 Organisation

Gesellschaft, Körperschaft, Betrieb, Unternehmen oder Institution oder Teil davon, eingetragen oder nicht, öffentlich oder privat, mit eigenen Funktionen und eigener Verwaltung.

In der betriebswirtschaftlichen Literatur ist Organisation eine Funktion der Unternehmensführung. Mit dem Begriff Organisation wird dort üblicherweise entweder der Prozeß, die Tätigkeit des organisatorischen Gestaltens (die Methodik und Technik des Organisierens) oder das Ergebnis der Gestaltung (die Organisationsstruktur) bezeichnet.

GRUPPE 2: Produktbezogene Begriffe unter Berücksichtigung von Fehlprodukten

8.2 Lieferant

Organisation (8.1), die dem Kunden (8.4) ein Produkt bereitstellt.

> Anmerkung 1: Auf dem Markt wird der Lieferant oft „Anbieter" genannt, auch in DIN EN 45011, in DIN EN 45012 und in DIN EN 45014.
> Anmerkung 2: Ein Lieferant kann z.B. der Hersteller, Verteiler, Händler, Importeur, eine Montagefirma oder ein Dienstleister sein.
> Anmerkung 3: Der Lieferant kann in Beziehung zur Organisation entweder extern oder intern sein.

8.2.1 Auftragnehmer

Lieferant (8.2) in einer Vertragssituation.

> Anmerkung: Der Auftragnehmer wird manchmal als die „business first party" bezeichnet und zwar sowohl in der Wirtschaft als auch bei der Kooperation wissenschaftlicher Einrichtungen.

8.3 Unterlieferant

Organisation, die dem Lieferanten (8.2) ein Produkt bereitstellt.

> Anmerkung: Häufig auch „Zulieferant".

8.3.1 Unterauftragnehmer

Unterlieferant (8.3) in einer Vertragssituation.

8.3.2 Unterauftraggeber

Lieferant (8.2) in seiner Vertragssituation mit einem Unterauftragnehmer (8.3.1).

8.4 Kunde

Empfänger eines vom Lieferanten (8.2) bereitgestellten Produkts.

> Anmerkung 1: Kunde kann z.B. der Endverbraucher, Anwender, Nutznießer oder Auftraggeber (8.4.1) sein.
> Anmerkung 2: Der Kunde kann in Beziehung zur Organisation entweder extern oder intern sein.

8.4.1 Auftraggeber

Kunde (8.4) in einer Vertragssituation.

Anmerkung: Der Auftraggeber wird manchmal als die „business second party" bezeichnet, und zwar sowohl in der Wirtschaft als auch bei staatlichen Institutionen.

8.5 Angebotsprodukt

Produkt, das durch die Organisation (8.1) dem Kunden (8.4) (dem Markt) zum Verkauf angeboten oder ihm als Besitz oder zur Benutzung zur Verfügung gestellt wird.

Anmerkung 1: Vom Angebotsprodukt sind Produkte zu unterscheiden, die in der Organisation für die Leistungsbereitschaft der Organisation erbracht werden.

Anmerkung 2: Auch aus öffentlich-rechtlichen Abgaben finanzierte, für den Empfänger aber unmittelbar unentgeltliche Leistungen der öffentlichen Hand sind Angebotsprodukte.

8.6 Fehlprodukt

Als fehlerhafte Einheit eingestuftes Produkt, das nicht oder nur unter Inkaufnahme von Mehrkosten und/oder Mindererlös verwendungsfähig ist, oder das eine interne Einzelforderung im Rahmen der Qualitätsforderung nicht erfüllt.

Anmerkung 1: Mehrkosten können durch Nacharbeit (8.7) oder durch die Suche nach einem anderen Verwendungszweck bedingt sein. Der Mindererlös kann sich aus einem qualitätsbedingten Preisnachlaß oder daraus ergeben, daß das Fehlprodukt nicht wie ursprünglich geplant, sondern nur für eine geringere Anspruchsklasse verwendet werden kann.

Anmerkung 2: Mehrkosten können auch durch einen unnötig großen Materialverbrauch bei der Realisierung des Produkts entstanden sein, der wegen ergänzender interner Einzelforderungen als fehlerhaft beanstandet wurde.

Anmerkung 3: Beim Verkauf für einen anderen Verwendungszweck ergibt sich in der Regel ein Mindererlös. Die Differenz zwischen geplantem und tatsächlichem Erlös geht betriebswirtschaftlich als Erlösschmälerung in die Leistungsrechnung ein, wird jedoch außerdem bei der Erfassung qualitätsbezogener Kosten zweckmäßig den Fehlerkosten zugeordnet.

Ergänzender Hinweis: Das Fehlprodukt als „fehlerhaftes Produkt ..." ist zu unterscheiden von dem betriebswirtschaftlich verschiedentlich mit der gleichen Benennung (also homonym) bezeichneten „fehlenden Produkt", z. B. dem bei der Inventur „nicht auffindbaren Produkt".

8.6.1 Qualitätsplanungsbedingtes Fehlprodukt

Fehlprodukt (8.6), bei dem zwar die Qualitätsforderung erfüllt worden ist, z. B. in der Fertigung oder Montage, bei dem aber diese Forderung selbst angesichts der vom Kunden (8.4) beabsichtigten Nutzung des Angebotsprodukts (8.5) nicht geeignet war.

Anmerkung 1: Ursachen für ein qualitätsplanungsbedingtes Fehlprodukt können eine ungeeignete externe Qualitätsplanung (z. B. das Nichterkennen von Qualitätsmerkmalen) oder auch eine unrichtige Weitergabe von Elementen der Qualitätsforderung (technischen Auftragsdaten) auf dem Informationsweg vom Kunden zum Lieferanten (8.2) oder anderes sein.
Anmerkung 2: Die Kosten dieses Fehlprodukts sind Fehlerkosten (8.20.3).

8.6.2 Fertigungs- oder montagebedingtes Fehlprodukt

Fehlprodukt (8.6), bei dem die Qualitätsforderung in der Fertigung oder Montage im ersten planmäßigen Durchgang nicht erfüllt wurde.

Anmerkung: Teilmengen eines Produkts oder einer Produktserie, bei denen eine nicht zufriedenstellende Qualität nicht zwangsläufig ist, sondern vermeidbar gewesen wäre, sind nicht „qualitätsbedingter Abfall", sondern fertigungs- oder montagebedingte Fehlprodukte. Sie benötigen Nacharbeit (8.7) oder sind Ausschuß (8.6.5). Sofern zufriedenstellende Qualität nicht erreicht wird, sind auch betroffene Teilmengen Ausschuß. Alle betreffenden Kosten sind Fehlerkosten (8.20.3).

8.6.3 Lagerungs- oder transportbedingtes Fehlprodukt

Fehlprodukt (8.6) infolge Beeinträchtigung seiner ursprünglich zufriedenstellenden Qualität (8.24) durch normalerweise nicht erwartbare Einwirkungen während Lagerung oder Transport.

Anmerkung 1: Jede teilweise oder vollständige Beeinträchtigung der zufriedenstellenden Qualität eines Produkts infolge unsachgemäßen Transports oder ungeeigneter Lagerung führt demnach zu einem lagerungs- oder transportbedingten Fehlprodukt.
Anmerkung 2: Ursache für das Entstehen dieses Fehlprodukts kann z. B. untaugliche Planungsqualität für Lagerung, Transport oder Verpackung sein.
Anmerkung 3: Nicht als lagerungs- oder transportbedingtes Fehlprodukt ist ein Produkt zu betrachten, bei dem das Haltbarkeitsdatum überschritten ist.
Anmerkung 4: Die Kosten dieses Fehlprodukts sind Fehlerkosten, z. B. für die Wiederherstellung seiner zufriedenstellenden Qualität durch Nacharbeit (8.7).

8.6.4 Bedarfsbedingtes Fehlprodukt

Fehlprodukt (8.6), bei dem die Qualitätsforderung sowohl dem Nutzungszweck möglicher Kunden (8.4) entsprach als auch in der Fertigung erfüllt wurde, für das aber ein Bedarf nicht oder nicht mehr oder nicht im Umfang des bestehenden Vorrats besteht.

Anmerkung: Frühere Bezeichnungen für ein bedarfsbedingtes Fehlprodukt waren z. B. „Ladenhüter" oder „unbrauchbares Material".

8.6.5 Ausschuß

Fehlprodukt (8.6.2), bei dem die Qualitätsforderung auch nachträglich durch Nacharbeit (8.7) nicht erfüllt werden kann oder soll, und das für einen anderen Verwendungszweck unter angemessenen Umständen nicht verwendet werden kann.

Anmerkung 1: Die Bedeutung von Ausschuß für die betriebliche Organisation geht wegen der Störung des planmäßigen Ablaufs meist weit über die Ausschußkosten hinaus.
Anmerkung 2: Produkte, bei denen die Qualitätsforderung erfüllt ist, die jedoch dennoch nicht verwendet werden können, sind nicht Ausschuß im Sinn der obigen Definition, sondern Fehlprodukte aus anderem Grund, z. B. das qualitätsplanungsbedingte (8.6.1) und das bedarfsbedingte (8.6.4) Fehlprodukt.
Anmerkung 3: Ausschußkosten enthalten alle Kosten für die Realisierung des Fehlprodukts einschließlich Abfall (8.8) und sind Fehlerkosten (8.20.3).

8.6.6 Sonstiges Fehlprodukt

Fehlprodukt (8.6), das nicht in den Definitionsbereich der vorausgehend definierten Fehlprodukte gehört.

Ergänzender Hinweis: Verschiedentlich werden hier fälschlich qualitätsplanungsbedingte Fehlprodukte (8.6.1) eingeordnet, so beispielsweise bei der späteren Feststellung, daß eine für die dauerhafte Verwendungsfähigkeit des Produkts unabdingbare Instandhaltungsforderung bei der Qualitätsplanung vergessen oder die Zuverlässigkeitsforderung unvollständig geplant wurde.

GRUPPE 3: Nacharbeit und Abfall

8.7 Nacharbeit

Alle Tätigkeiten, um bei einem Fehlprodukt (8.6.2) nachträglich die Qualitätsforderung zu erfüllen, oder um diese erst nachträglich für die vom Kunden (8.4) beabsichtigte Nutzung geeignet zu machen und dann zu erfüllen.

Anmerkung 1: Die Bedeutung von Nacharbeit für die betriebliche Organisation geht wegen der Störung des planmäßigen Ablaufs meist weit über die Nacharbeitskosten hinaus.
Anmerkung 2: Alle qualitätsbedingten, nicht geplanten Prüf- und Sortierarbeiten sind ebenfalls Nacharbeit.
Anmerkung 3: Auch erfolglose Nacharbeit ist Nacharbeit. In diesem Fall entstehen neben den Nacharbeitskosten meist auch noch Ausschußkosten.
Anmerkung 4: Auch wenn sich die Tätigkeiten zur Nacharbeit auf bereits gelieferte Produkte beziehen, handelt es sich um Nacharbeit. Werden jedoch von einem Auftraggeber (8.4.1) nachträglich zusätzliche Forderungen erhoben, so ist deren Erfüllung durch zusätzliche, ursprünglich nicht vorgesehene Arbeit keine Nacharbeit. Wenn die Durchführung ei-

nes solchen zusätzlichen Auftrags „Mehrarbeit" genannt wird, ist auf deren Unterscheidung von Nacharbeit zu achten, insbesondere bei der Kostenverrechnung.
Anmerkung 5: Alle Nacharbeitskosten sind Fehlerkosten (8.20.3).
Anmerkung 6: In DIN EN ISO 8402:1995 ist Nacharbeit nur im Hinblick auf den ersten Teil der obigen Definition und allgemeiner erklärt als „An einem fehlerhaften Produkt mit dem Ziel ausgeführte Maßnahme, daß es die festgelegten Forderungen erfüllen wird". Angemerkt ist dort, daß Nacharbeit eine Art der Behandlung fehlerhafter Einheiten ist.

8.8 Abfall

Teilmenge des bei der Fertigung verbrauchten Fertigungsmaterials, die nicht Bestandteil des fertigen Produkts wird.

Anmerkung: Grundmaterialien für Produkte werden geplant, Hilfsmaterialien hingegen im allgemeinen nicht.

8.8.1 Unvermeidbarer Abfall

Unvermeidbare Teilmenge verbrauchter Fertigungsmaterialien bei ordnungsgemäßem Ablauf einer gut geplanten Fertigung, die nicht Bestandteil des fertigen Produkts wird.

8.8.1.1 Qualitätsbedingter Abfall

Wegen des Qualitätsmanagements (8.25) unvermeidbarer Abfall (8.8.1).

Anmerkung 1: Beispiele sind verbrauchte Fertigungsmaterialien bei Werkstoffprüfungen, die zur Qualitätslenkung unabdingbar oder vom Kunden (8.4) gefordert sind, oder die erfahrungsgemäß zur Erfüllung von Qualitätsforderungen mindestens erforderlichen Anfahr- oder Auslauf-Enden bei der Fertigung von Endlosguteinheiten.
Anmerkung 2: Nicht zum qualitätsbedingten Abfall gehören z. B. bei fehlerbedingt unplanmäßigen Werkstoffprüfungen oder anläßlich der durch Unaufmerksamkeit bedingten Überschreitung von mindestens erforderlichen Anfahr- oder Auslauf-Enden verbrauchte Fertigungsmaterialien. Sie sind vermeidbarer Abfall (8.8.2).

8.8.2 Vermeidbarer Abfall

Differenz zwischen dem insgesamt festgestellten und dem unvermeidbaren Abfall (8.8.1).

Anmerkung 1: Die Ermittlung der Ursachen für diesen Abfall ermöglicht seine Vermeidung.
Anmerkung 2: In fertigenden Organisationen (8.1) wird meist festgestellt, wieviel Abfall insgesamt entsteht. Dessen zeitabhängiges Minimum ist ein Indikator für den unvermeidbaren Abfall.

Anmerkung 3: Siehe Anmerkung zu fertigungs- oder montagebedingtes Fehlprodukt (8.6.2).

GRUPPE 4: Allgemeine und qualitätsbezogene Begriffe zur Wirtschaftlichkeit

8.9 Aufwand

Ausgaben einer Organisation (8.1) innerhalb einer Abrechnungsperiode für den Verbrauch von Tätigkeiten, Gütern (Produkten) und öffentlichen Abgaben.

> Anmerkung 1: Auch „Aufwendungen"; in Wortzusammensetzungen aber stets „Aufwands ...", z. B. „Aufwandsverminderung".
> Anmerkung 2: Zu unterscheiden sind betriebliche Aufwendungen (siehe Anmerkung 3) und neutrale Aufwendungen (siehe Anmerkung 4).
> Anmerkung 3: Betriebliche Aufwendungen entstehen bei der betrieblichen Leistungserstellung und Leistungsverwertung. Sie sind Kosten (8.10) in der betrieblichen Kosten- und Leistungsrechnung.
> Anmerkung 4: Neutrale Aufwendungen gliedern sich in
> – betriebsfremde Aufwendungen (z. B. Spenden, Kantinenzuschüsse);
> – außerordentliche Aufwendungen (z. B. Brandschaden, nicht gedeckt durch Feuerversicherung);
> – periodenfremde Aufwendungen (z. B. Steuernachzahlung)
> Anmerkung 5: Die Differenz aus Ertrag (8.11) und Aufwand ist der Erfolg (8.13) der betrachteten Abrechnungsperiode.
> Anmerkung 6: Fehlleistungsaufwand ist Aufwand für fehlerhafte Tätigkeiten und ihre Ergebnisse (z. B. Fehlprodukte (8.6)). Im betriebswirtschaftlichen Sinn ist Fehlleistung keine Leistung, weil dort nur Leistungen, die zu Erträgen (8.11) führen, als „Leistung" bezeichnet werden. Fehlleistungsaufwand mindert demnach den Erfolg einer Organisation. Siehe auch Fehlerkosten (8.20.3), Fehlerfolgekosten (8.20.3.3).

8.10 Kosten

Bewerteter Verzehr (Verbrauch) an Gütern (Produkten), Diensten (Tätigkeiten) und öffentlichen Abgaben zur Realisierung und nachfolgenden Verwertung von Produkten.

> Anmerkung 1: In diesen Kosten sind auch diejenigen zur Schaffung und Aufrechterhaltung der dafür notwendigen Teilkapazitäten enthalten.
> Anmerkung 2: Durch fehlerhafte Tätigkeiten und fehlerhafte Ergebnisse (z. B. Fehlprodukte (8.6)) verursachte Fehlerkosten (8.20.3) und Fehlerfolgekosten (8.20.3.3) sind Indikatoren zur Erschließung von Verbesserungspotenzialen und zur Erhöhung der Wirtschaftlichkeit (8.14) einer Organisation (8.1).

8.11 Ertrag

Erfolgswirksamer Wertezufluß in eine Organisation (8.1) innerhalb einer Abrechnungsperiode.

Anmerkung 1: Nach ihrer Entstehung ist zu unterscheiden zwischen betrieblichen Erträgen (siehe Anmerkung 2) und neutralen Erträgen (siehe Anmerkung 5).
Anmerkung 2: Betriebliche Erträge sind Ergebnisse betrieblicher Leistungserstellung und -verwertung. Sie sind zugleich Leistungen (siehe Anmerkung 3) in der Kosten- und Leistungsrechnung.
Anmerkung 3: Bei den Leistungen ist zwischen Absatzleistungen (siehe Anmerkung 4), Lagerleistungen und aktivierten Leistungen zu unterscheiden.
Anmerkung 4: Absatzleistungen führen zu Umsatzlösen (8.12) aus dem Verkauf von Angebotsprodukten.
Anmerkung 5: Neutrale Erträge gliedern sich in
- betriebsfremde Erträge (z. B. Mieterträge);
- außerordentliche Erträge (z. B. aus Anlagenverkauf);
- periodenfremde Erträge (z. B. Steuerrückerstattung).

8.12 Umsatzerlös

Aus dem Absatz von mit ihren jeweiligen Verkaufspreisen bewerteten Angebotsprodukten erwirtschafteter Ertrag (8.11).

Anmerkung 1: Der Umsatzerlös ist Grundlage für die Bildung von Kennziffern zur Wirtschaftlichkeitsanalyse.
Anmerkung 2: Der Absatz besteht aus dem Verkauf von Produkten sowie – sofern es ebenfalls Geschäftszweck ist – aus Vermietung und Verpachtung, die Dienstleistungen und damit immaterielle Produkte sind.
Anmerkung 3: Der Netto-Umsatzerlös ist der Umsatzerlös nach Abzug von Erlösschmälerungen und Umsatzsteuern.
Anmerkung 4: Der Umsatzerlös wird zuweilen kurz auch „Umsatz" genannt, der Netto-Umsatzerlös „Netto-Umsatz".

8.13 Erfolg

Ergebnis des Wirtschaftens in monetären Größen als Differenz aus Ertrag (8.11) und Aufwand (8.9).

Anmerkung: Der Erfolg wird ermittelt durch Erfolgsrechnung. Die Differenz aus Ertrag und Aufwand kann negativ und damit der Erfolg ein Verlust sein.

8.14 Wirtschaftlichkeit

Ertrag (8.11) aus der Erfüllung einer betrachteten oder einer genau bezeichneten Aufgabe in Relation zum zugehörigen erforderlichen Aufwand (8.9).

Anmerkung 1: Die Erfüllung einer betrachteten oder einer genau bezeichneten Aufgabe wird betriebswirtschaftlich oft als „Handlungsergebnis", der zugehörige erforderliche Aufwand als „Mitteleinsatz" bezeichnet. Mit diesen Bezeichnungen ist Wirtschaftlichkeit kurz der „Ertrag aus einem Handlungsergebnis in Relation zum Mitteleinsatz".
Anmerkung 2: Ertrag und Aufwand können in Währungseinheiten gemessen werden, beispielsweise das Handlungsergebnis als Umsatzerlös (8.12) und der Mitteleinsatz als Kosten (8.10).
Anmerkung 3: Die Wirtschaftlichkeit ist um so besser, je geringer der Mitteleinsatz für ein festgelegtes Handlungsergebnis, oder je wertvoller das Handlungsergebnis bei festgelegtem Mitteleinsatz ist. Diese Aussage ist gleichbedeutend mit der Zielsetzung, den größtmöglichen Erfolg (8.13) zu erreichen. Diese Zielsetzung wird betriebswirtschaftlich als das „Wirtschaftlichkeitsprinzip" bezeichnet.
Anmerkung 4: Sollte nicht, wie vielfach üblich, synonym zu „Effizienz" (8.16) verwendet werden.

8.15 Effektivität

Inwieweit eine betrachtete oder eine genau bezeichnete Aufgabe bezüglich festgelegter Ziele erfüllt wurde.

Anmerkung 1: Es gibt mehr oder weniger gute und schlechte Effektivität.
Anmerkung 2: Kurzdefinition: Inwieweit die richtigen Dinge getan wurden.
Anmerkung 3: Sollte nicht, wie vielfach üblich, synonym zu „Effizienz" (8.16) verwendet werden.
Anmerkung 4: Im neuesten Gabler-Wirtschafts-Lexikon fehlt dieser Begriff.

8.16 Effizienz

Inwieweit für die Erfüllung einer betrachteten oder einer genau bezeichneten Aufgabe zweckangepaßte Mittel eingesetzt wurden.

Anmerkung 1: Es gibt mehr oder weniger gute und schlechte Effizienz.
Anmerkung 2: Kurzdefinition: Inwieweit die Dinge in der richtigen Weise getan wurden.
Anmerkung 3: Sollte nicht, wie vielfach üblich, synonym zu „Wirtschaftlichkeit" (8.14) verwendet werden.

8.17 Qualitätsbezogene Verluste

In Prozessen und bei Tätigkeiten dadurch verursachte Verluste, daß verfügbare Mittel nicht ausgeschöpft werden.

Anmerkung: Einige Beispiele für qualitätsbezogene Verluste sind
– Einbuße an Zufriedenheit des Kunden (8.4);

- versäumte Gelegenheiten zu Wertsteigerungen für den Kunden, für die Organisation (8.1) oder für die Gesellschaft;
- Vergeudung von Mitteln und Material in irgendwelchen Phasen der Planung und Realisierung des Angebotsprodukts (8.5).

Ergänzender Hinweis: Betriebswirtschaftlich versteht man darunter die „Negative Differenz zwischen Ertrag (8.11) und Aufwand (8.9) infolge der Nichterfüllung von Qualitätsforderungen" (vgl. Anmerkung zu Erfolg (8.13)).

8.18 Qualitätsbezogene Kosten

Kosten, die vorwiegend durch Qualitätsforderungen verursacht sind.

Alternative Definition des gleichen Begriffsinhalts:
Kosten, die durch Tätigkeiten der Fehlerverhütung, durch planmäßige Qualitätsprüfungen, durch intern oder extern festgestellte Fehler (8.19) sowie durch die externe QM-Darlegung verursacht sind.

Anmerkung 1: Früher „Qualitätskosten". Kosten, die z. B. vorwiegend durch die Produktion verursacht sind, sind nicht qualitätsbezogene Kosten, obwohl bei der Produktion auch Qualitätsmanagement (8.25) betrieben werden muß.

Anmerkung 2: Die Beurteilung der qualitätsbezogenen Kosten dient der wirtschaftlichen Optimierung des umfassenden Qualitätsmanagements (3.25.1) und damit auch einer auf dieses Ziel ausgerichteten Beeinflussung der qualitätsbezogenen Kosten, nicht aber
- der Erfassung der Kosten des in alle Aufgabenabwicklungen integrierten Qualitätsmanagements oder
- der (nicht separierbaren) Kosten für zufriedenstellende Qualität (8.24).

Anmerkung 3: Das Ergebnis der Zusammenstellung und Aufschlüsselung der qualitätsbezogenen Kosten gründet sich weitgehend auf die betriebliche Kostenrechnung, steht jedoch neben deren Ergebnis, ist also nicht deren Bestandteil. Deshalb sollte man von „Qualitätskostennachweisen" und von der „Ermittlung qualitätsbezogener Kosten" sprechen, den Ausdruck „Qualitätskostenrechnung" aber vermeiden.

Anmerkung 4: Die in der alternativen Definition (siehe oben) vorkommenden Gruppen von qualitätsbezogenen Kosten werden national (international) wie folgt benannt: „Fehlerverhütungskosten" (‚prevention costs'), „Prüfkosten" (‚appraisal costs'), „Fehlerkosten" (‚failure costs'), „externe QM-Darlegungskosten" (‚external assurance quality costs'). Die ersten drei Gruppen sind die „Operativen qualitätsbezogenen Kosten" (‚operating quality-related costs').

Anmerkung 5: In Wortverbindungen sollte „qualitätsbezogene Kosten" mit „QK-" abgekürzt werden, beispielsweise in „QK-Element", „QK-Nachweis", „QK-Ermittlung".

8.19 Fehler

Nichterfüllung einer Forderung.

Anmerkung 1: Die Fehlerentstehung ist ein Ereignis, der Fehler aber meist ein Zustand. Die Forderung ist im Qualitätsmanagement (8.25) immer eine Einzelforderung im Rahmen einer Qualitätsforderung. Beispiel einer Einzelforderung ist ein Toleranzbereich mit den Grenzwerten G_{un} und G_{ob}. Die Verwendbarkeit einer Einheit ist durch einen Fehler nicht notwendigerweise beeinträchtigt. Ausnahme: Produkthaftungsfälle aufgrund eines Mangels (siehe Anmerkung 2).

Anmerkung 2: Vom Fehler ist der Mangel zu unterscheiden. Er bedeutet stets eine Beeinträchtigung der Verwendbarkeit: Nach BGB § 459 weist eine Sache einen Mangel auf, wenn sie „mit Fehlern behaftet ist, die den Wert oder die Tauglichkeit zu dem gewöhnlichen oder dem nach dem Vertrage vorausgesetzten Gebrauch aufheben oder mindern". „Nicht in Betracht" kommt als Begründung für einen Mangel ein Fehler, der nur „eine unerhebliche Minderung des Wertes oder der Tauglichkeit" zur Folge hat. Ein gewährleistungsrechtlich besonderer Mangel ist das Fehlen einer „zugesicherten Eigenschaft". Siehe dazu auch Anmerkung 1 zu Fehlerfolgekosten (8.20.3.3). Zum Unterschied zwischen Fehler und Mangel: Siehe DGQ-Schrift 19–30 Qualität und Recht.

Anmerkung 3: Der Begriff Fehler war früher auch in anderem Sinn normgerecht, z. B. in der Meßtechnik im Sinn einer Meßabweichung (geändert mit DIN 1319-3:1983-08, bestätigt mit der Begriffsnorm DIN 1319-1:1995-01).

Anmerkung 4: In der Instandhaltung wird ein spezieller Fehler „Schaden" genannt (vgl. DIN 31 051).

Anmerkung 5: Von der Fehlerdefinition (siehe oben die drei Wörter) ist eine Fehlerbeschreibung oder die Beschreibung eines fehlerhaften Produkts zu unterscheiden. Z. B. findet man letztere im § 3 des Produkthaftungsgesetzes von 1990: „Ein Produkt hat einen Fehler, wenn ....".

Anmerkung 6: Auch „Nichtkonformität".

8.20 Qualitätskostenelement (kurz: „QM-Element")

Element der qualitätsbezogenen Kosten (8.18).

Anmerkung 1: Für Einrichtung und zeitabhängige Vergleichbarkeit von QK-Nachweisen, aber auch wegen des Ermessensspielraums abhängig von Angebotsprodukt (8.5) und Organisation (8.1), soll eine Organisation die zu erfassenden QK-Elemente benennen und definieren.

Anmerkung 2: Erfahrungsgemäß sind sogenannte „QK-Quervergleiche" von QK-Nachweisen zwischen Organisationen oder zwischen Organisationsteilen unzweckmäßig, und zwar aufgrund unterschiedlicher Lösungen gemäß Anmerkung 1.

Anmerkung 3: Es ist international üblich, QK-Elemente in Gruppen zusammenzufassen: Siehe Anmerkung 4 zu Qualitätsbezogene Kosten (8.18). In einem QK-Nachweis sollten mindestens die dort erstgenannten drei Gruppen enthalten sein. Die Fehlerkosten werden zusätzlich in interne und externe unterteilt (siehe Anmerkung 1 zu Fehlerkosten). Erforder-

lichenfalls sind als vierte Gruppe die QK-Elemente der externen QM-Darlegung einzubeziehen. Sie heißen „Externe QM-Darlegungskosten" (8.20.4).
Anmerkung 4: Die Abkürzung „QK-Element" (siehe oben) entspricht der Abkürzung „QM-Element" (8.25.3).

8.20.1 Fehlerverhütungskosten

Gruppe von QK-Elementen (8.20), mit denen Kosten erfaßt werden, die durch Vorbeugungs- und Korrekturmaßnahmen im Rahmen des Qualitätsmanagements (8.25) sowie durch mittelbare Qualitätslenkung in allen Bereichen der Organisation (8.1) verursacht sind.

Anmerkung 1: Die Kosten der für Qualitätsverbesserungen besonders bedeutsamen QM-Elemente (8.25.3) Vorbeugungsmaßnahmen und Korrekturmaßnahmen sind zu den Fehlerverhütungskosten gehörige QK-Elemente.
Anmerkung 2: Weitere Beispiele für einzubeziehende QK-Elemente sind die Kosten für QM-Bewertungen, interne QM-Darlegungen und interne Qualitätsaudits, Schulung in Qualitätsmanagement, Qualitätsförderungsprogramme, Qualitätsfähigkeitsuntersuchungen, Lieferantenbeurteilung und -beratung, Leitung des Qualitätswesens, Prüfplanung, Qualitätsvergleiche und Qualitätsforderungsvergleiche mit dem Wettbewerb.

8.20.2 Prüfkosten

Gruppe von QK-Elementen (8.20), mit denen Kosten erfaßt werden, die durch alle planmäßigen Qualitätsprüfungen verursacht sind.

Anmerkung 1: Prüfkosten entstehen durch das für Qualitätsprüfungen eingesetzte Personal und die zugehörigen Prüfmittel in allen Bereichen der Organisation (8.1). Bei zeitlich ineinandergreifenden Qualitätsprüfungen und anderen Arbeiten sind die Kosten für den Anteil der Qualitätsprüfungen anzusetzen.
Anmerkung 2: Beispiele für einzubeziehende QK-Elemente sind die Kosten für alle Arten von Qualitätsprüfungen gemäß DIN 55350-17 und die zugehörigen Prüfmittel, eingeschlossen Prüfmittelüberwachung. Nicht einzubeziehen sind Wiederholungsprüfungen (8.20.3.2), nicht planmäßige Sortierprüfungen (8.20.3.1) sowie nicht planmäßige Qualitätsprüfungen. Diese sind QK-Elemente der Fehlerkosten (8.20.3).

8.20.3 Fehlerkosten

Gruppe von QK-Elementen (8.20), mit denen Kosten erfaßt werden, die durch die Nichterfüllung von Einzelforderungen im Rahmen von Qualitätsforderungen verursacht sind.

Anmerkung 1: Die Nichterfüllung von Einzelforderungen kann sich auf jede Einheitenart beziehen, etwa auf Tätigkeiten, Prozesse, materielle oder immaterielle Produkte, eingeschlossen Dienstleistungen, auf Personen, Systeme oder Kombinationen daraus.

Anmerkung 2: Weil das Feststellen von Fehlerursachen oft sehr zeitraubend ist, werden die Fehlerkosten nicht nach Fehlerursachen, sondern nach der Art der Feststellung der Fehler in zwei Untergruppen unterteilt: In die internen Fehlerkosten (Kosten intern festgestellter Fehler) und die externen Fehlerkosten (Kosten extern festgestellter Fehler). Es kann zweckmäßig sein, für eine Organisation (8.1) festzulegen, was unter „intern" und „extern" zu verstehen ist.

Anmerkung 3: Einzubeziehende QK-Elemente sind die Kosten für Fehlprodukte (8.6) oder Kosten im Zusammenhang mit solchen Fehlprodukten, z. B. für Nacharbeit (8.7), Ausschuß (8.6.5), nicht planmäßige Sortierprüfung (8.20.3.1), Wiederholungsprüfung (8.20.3.2), qualitätsbedingte Ausfallzeit, Gewährleistung (8.22), Produkthaftung (8.23).

8.20.3.1 Sortierprüfung

100%-Prüfung, bei der sämtliche gefundenen fehlerhaften Einheiten aussortiert werden.

Anmerkung 1: Das Verhältnis der bei einer Sortierprüfung gefundenen zu den vorher im Prüflos vorhandenen fehlerhaften Einheiten bezeichnet man als Sortierwirkungsgrad. Der Sortierwirkungsgrad ist im allgemeinen um so kleiner, je kleiner der Anteil fehlerhafter Einheiten vor der Sortierprüfung ist.

Anmerkung 2: Kosten einer unplanmäßigen Sortierprüfung sind Fehlerkosten (8.20.3).

8.20.3.2 Wiederholungsprüfung

Qualitätsprüfung nach unerwünschtem Ergebnis der vorausgegangenen in einer Folge von zugelassenen Qualitätsprüfungen an derselben nachgebesserten Einheit oder an einer anderen Einheit gleicher Art.

Anmerkung: Kosten einer unplanmäßigen Wiederholungsprüfung sind Fehlerkosten (8.20.3).

8.20.3.3 Fehlerfolgekosten

Kosten, die infolge eines Fehlers (8.20) der betrachteten Einheit nicht an dieser Einheit selbst, sondern durch sie an anderen Einheiten verursacht werden.

Anmerkung 1: Zu Fehlerfolgekosten führen z.B. Fälle von Produkthaftung (8.23). Auch die Nichterfüllung der Einzelforderung an ein speziell bezeichnetes Merkmal einer Einheit (juristisch eine sogenannte „zugesicherte Eigenschaft") kann zu Fehlerfolgekosten führen.

Anmerkung 2: Die aus der Beseitigung eines Fehlers (8.18) bei der Behandlung der fehlerhaften Einheit selbst entstehenden Fehlerkosten, z.B. Nacharbeit (8.7) und Ausschuß (8.6.5), sind nicht Fehlerfolgekosten.

8.20.4 Externe QM-Darlegungskosten

Gruppe von QK-Elementen (8.20), mit denen Kosten erfaßt werden, die durch externe QM-Darlegungen verursacht sind.

> Anmerkung: Während die externen QM-Darlegungskosten eine eigene QK-Gruppe sind, gehören die Kosten von internen QM-Darlegungen zu den Fehlerverhütungskosten (8.20.1).

8.21 Qualitätskostendaten

Daten über Festlegungen und Ermittlungsergebnisse zu qualitätsbezogenen Kosten (8.18).

> Anmerkung 1: Kurz auch „QK-Daten".
> Anmerkung 2: Siehe Anmerkung 2 zu Qualitätsdaten (8.26).

8.22 Gewährleistung

Vertragliche Haftung des Verkäufers oder Unternehmers für die Rechts- und Sachmängelfreiheit der veräußerten Sache oder der erbrachten Leistung.

> Anmerkung 1: „Sache oder Leistung" bedeutet materielle oder immaterielle Produkte, eingeschlossen Dienstleistungen.
> Anmerkung 2: Eine „Garantie" bedeutet im Rechtssinn wesentlich weitergehende Belastungen des Garantiegebers. Eine sogenannte „Funktionsgarantie" ist jedoch Bestandteil der Gewährleistung.
> Anmerkung 3: Durch die Erfüllung von Pflichten aus Gewährleistung, Garantie oder Funktionsgarantie verursachte Kosten sind Fehlerkosten (8.20.3).

8.23 Produkthaftung

Haftung des Herstellers für Folgeschäden aus der Nutzung seines Angebotsprodukts (8.5).

> Anmerkung 1: Als Folgeschäden kommen Personen-, Sach- und Vermögensschäden infrage, grundsätzlich jedoch nicht die Fehlerhaftigkeit des Angebotsprodukts selbst.
> Anmerkung 2: Durch Produkthaftung verursachte Kosten sind Fehlerfolgekosten (8.20.3.3).
> Anmerkung 3: Auch „Produzentenhaftung".

Gruppe 5: Qualitätsbezogene Begriffe

8.24 Qualität

Realisierte Beschaffenheit einer Einheit in Relation zur Qualitätsforderung.

> Anmerkung 1: Die internationale Definition lautet derzeit: „Gesamtheit von Merkmalen (und Merkmalswerten) einer Einheit bezüglich ihrer Eignung, festgelegte und vorausge-

setzte Erfordernisse zu erfüllen". Die Beziehung zwischen realisierter Beschaffenheit und Einzelforderungen steht also stets im Mittelpunkt der Qualitätsbetrachtung. Spezielle „festgelegte und vorausgesetzte Erfordernisse" sind allgemeiner ersetzbar durch „Qualitätsforderung".
Anmerkung 2: Die Qualitätsforderung ist aus den in Anmerkung 1 genannten Gründen in DIN 55350-11:1987-05 mit den Wörtern definiert worden: „Festgelegte und vorausgesetzte Erfordernisse", noch nicht als geforderte Beschaffenheit.
Anmerkung 3: Qualität soll nicht verwechselt werden mit „Vortrefflichkeit" im Sinn von „Spitzenqualität", mit der Beschaffenheit, mit „Erfüllung der Qualitätsforderung", „Qualitätsforderung", „Anspruchsklasse", „Sorte", mit einer wie immer gearteten Wertigkeit, mit dem Oberbegriff „Qualitätsmanagement" (8.25) oder mit der Managementmethode „Umfassendes Qualitätsmanagement" (8.25.1).

8.25 Qualitätsmanagement

Gesamtheit der qualitätsbezogenen Tätigkeiten und Zielsetzungen.

Anmerkung 1: Qualitätsmanagement darf nicht – wie früher – nur als Aufgabe der Führungskräfte verstanden werden. Entsprechend der Bedeutung „handhaben" von „to manage" gehören sämtliche qualitätsbezogenen Tätigkeiten und Zielsetzungen auf allen Ausführungs-Ebenen dazu.
Anmerkung 2: Bestandteile des Qualitätsmanagements sind daher z.B. alle Zielsetzungen und Tätigkeiten zur Qualitätsplanung, Qualitätslenkung, Qualitätsprüfung, Qualitätsverbesserung, zur QM-Darlegung in einem Qualitätsaudit.
Anmerkung 3: Zuverlässigkeitsmanagement ist ein Teil des Qualitätsmanagements.
Anmerkung 4: In Wortverbindungen soll „Qualitätsmanagement" mit „QM-" abgekürzt werden, beispielsweise in „QM-System" oder „QM-Darlegung". Andernfalls entstehen erfahrungsgemäß sinnstörende Verkürzungen auf „Qualitäts ..."
Anmerkung 5: Seit Jahrzehnten bis August 1994 war „Qualitätssicherung" die umfassend eingeführte Benennung für diesen Oberbegriff im gesamten deutschen Sprachraum. Weil quality assurance 1990 ein Unterbegriff von quality management geworden ist, wird die Übertragung „QM-Darlegung" für „quality assurance" empfohlen, zumal in DIN EN ISO 8402 für die deutschsprachige Übersetzung zur Doppelbenennung „Qualitätssicherung/QM-Darlegung" angemerkt ist: „Die Benennung ‚QM-Darlegung' gibt den Begriff besser wieder" und im nationalen Vorwort gesagt ist: „Dem Normanwender bleibt es überlassen, welche der beiden Benennungen er verwendet". Deshalb wird empfohlen, das Wort „Qualitätssicherung" künftig zur Vermeidung von Verwechslungen nur noch normgerecht in Verbindung mit QM-Darlegung (also „Qualitätssicherung/ QM-Darlegung") oder überhaupt nicht mehr zu benutzen. Einzelheiten hierzu finden sich in DIN 55350-11.
Anmerkung 6: Der Hauptsatz der Definition zu „quality management" in ISO 8402:1994 lautet: „All activities of the overall management function that determine ...". Die frühere

Übersetzung mit „Gesamtführungsaufgabe" entspricht nicht dem obigen Begriffsinhalt. Deshalb lautet sie jetzt „Alle Tätigkeiten des Gesamtmanagements, ...".

8.25.1 Umfassendes Qualitätsmanagement

Auf die Mitwirkung aller ihrer Mitglieder gestützte Managementmethode einer Organisation (8.1), die Qualität (8.24) in den Mittelpunkt stellt und durch Zufriedenstellung der Kunden (8.4) auf langfristigen Geschäftserfolg sowie auf Nutzen für die Mitglieder der Organisation und für die Gesellschaft zielt.

> Anmerkung 1: Der Ausdruck „aller ihrer Mitglieder" bezeichnet jegliches Personal in allen Stellen und allen Hierarchie-Ebenen der Organisationsstruktur.
> Anmerkung 2: Wesentlich für den Erfolg dieser Methode ist, daß die oberste Leitung überzeugend und nachhaltig führt, und daß alle Mitglieder der Organisation ausgebildet und geschult sind.
> Anmerkung 3: Die qualitätsbezogenen Tätigkeiten beziehen sich beim umfassenden Qualitätsmanagement auf die Erfüllung der Qualitätsforderung bei allen geschäftlichen Zielen.
> Anmerkung 4: Der Begriff „Nutzen für die Gesellschaft" bedeutet Erfüllung der an die Organisation gestellten Forderungen der Gesellschaft.
> Anmerkung 5: Total quality management (TQM) oder Teile davon werden gelegentlich auch „total quality", „CWQC" (company wide quality control), „TQC" (total quality control) usw. genannt.

8.25.2 Qualitätsmanagementsystem (kurz: QM-System)

Die zur Verwirklichung des Qualitätsmanagements (8.25) erforderliche Organisationsstruktur, Verfahren, Prozesse und Mittel.

> Anmerkung 1: Das QM-System sollte den zum Erreichen der Qualitätsziele erforderlichen Umfang haben.
> Anmerkung 2: Das QM-System einer Organisation (8.1) ist in erster Linie dazu vorgesehen, die internen Erfordernisse des Qualitätsmanagements für die Organisation zu erfüllen. Es ist umfangreicher als das, worauf sich die Darlegungsforderung eines einzelnen Kunden (8.4) bezieht, der nur den zu dieser Forderung gehörigen Teil des QM-Systems bewertet.
> Anmerkung 3: Es gibt unternehmensspezifische und vertragsspezifische QM-Systeme. In beiden Fällen wird durch die Festlegung der QM-Elemente über die sachlichen und personellen Möglichkeiten des Qualitätsmanagements entschieden.
> Anmerkung 4: Die Planung eines QM-Systems, zu der auch dessen Qualitätsplanung gehört, ist zu unterscheiden von der Qualitätsplanung für ein Angebotsprodukt (8.5).
> Anmerkung 5: Qualitätsbezogene Dokumente zum QM-System sowie Anleitungen zu deren Gestaltung werden international durch das technische Komitee ISO/TC 176 erstellt und unter der Bezeichnung „ISO 9000-Familie" zusammengefaßt.

8.25.3 QM-Element

Element des Qualitätsmanagements (8.25) oder eines QM-Systems (8.25.2).

> Anmerkung 1: QM-Elemente unterscheidet man von Qualitätselementen, den tatsächlich erzielten Beiträgen zur Qualität (8.24) einer betrachteten Einheit.
> Anmerkung 2: Wie Einheiten können auch QM-Elemente unterteilt und zusammengefaßt werden.
> Anmerkung 3: Es werden 3 Arten von QM-Elementen unterschieden: QM-Führungselemente, QM-Ablaufelemente und QM-Aufbauelemente.
> Anmerkung 4: In DIN EN ISO 9004-1:1994-08 sind im Kapitel 5 die QM-Elemente unter der Überschrift „quality system elements" aufgezählt und dann nachfolgend einzeln beschrieben.

8.26 Qualitätsdaten

Daten über die Qualität (8.24) von Einheiten, über die Randbedingungen der zu ihrer Ermittlung angewendeten Qualitätsprüfungen sowie gegebenenfalls über die jeweils zugehörige Qualitätsforderung.

> Anmerkung 1: Auch die Tätigkeiten des Qualitätsmanagements (8.25) gehören zu den Einheiten. Die betreffenden Daten werden auch „QM-Daten" genannt.
> Anmerkung 2: Daten sind nach DIN 44300-2 „Gebilde aus Zeichen oder kontinuierlichen Funktionen, die aufgrund bekannter oder unterstellter Abmachungen Information darstellen, vorrangig zum Zweck der Verarbeitung oder als deren Ergebnis".

GRUPPE 6: Auswahl der Instrumentarien zur Ableitung quantitativer Wirtschaftlichkeitsziele

8.27 Benchmarking (Instrument der Wettbewerbsanalyse)

Benchmarking ist der kontinuierliche Vergleich von Produkten, Dienstleistungen sowie Prozessen und Methoden mit (mehreren) Unternehmen, um die Leistungslücke zum sogenannten Klassenbesten (Unternehmen, die Prozesse, Methoden usw. hervorragend beherrschen) systematisch zu schließen. Grundidee ist es, festzustellen, welche Unterschiede bestehen, warum diese Unterschiede bestehen und welche Verbesserungsmöglichkeiten bestehen.

8.28 Opportunitätskostenrechnung

Entgehende Deckungsbeiträge einer nicht gewählten Handlungsmöglichkeit und daher mit der realisierten Alternative nicht identifizierbar. Sie sind lediglich als Vergleichsgröße für die Beurteilung des erzielten bzw. erzielbaren Deckungsbeitrages bei Vorliegen eines Engpasses bedeutsam, z. B. bei der Programmwahl, der Ermittlung von Preisuntergrenzen.

8.29 Prozeßkostenrechnung

Prozeßkostenrechnung ist ein Begriff, der in jüngster Vergangenheit die Kostenrechnungsdiskussion und -gestaltung maßgeblich beeinflußt. Sie setzt an den Praxismängeln der traditionellen Kostenrechnungssysteme an, speziell an Mängeln der Behandlung von Gemeinkosten.

8.30 Target Costing, Zielkostenrechnung

Die Zielkostenrechnung zählt zu den erfolgszielorientierten Kostenmanagementsystemen, bei denen Leistungs- und Erfolgsziele den Ausgangspunkt für Maßnahmen der Kostenbeeinflussung darstellen. Moderne Konzepte der Kostenrechnung verfolgen vom Marktpreis ausgehende, retrograde Kalkulationsstrukturen und zielen auf die durch Vorgabe von Deckungsbudgets initiierte Optimierung der Kosten-/Leistungsrelation.

SCHLUSSBEMERKUNG:

Es ist empfehlenswert, hier nicht aufgeführte Begriffe bei Bedarf in der jeweils geltenden Fassung der DGQ-Schrift 11–04 „Begriffe zum Qualitätsmanagement" (derzeit 6. Auflage 1995) nachzulesen. Auch zu hier aufgeführten Begriffen finden sich in dieser DGQ-Schrift zum Teil ausführlichere Anmerkungen.

8.II Matrix zur Analyse von Unternehmensprozessen

Gegliedert in Block A, Leitung und Koordinierung, und Block B, Leistungsprozesse, werden beispielhaft sämtliche Unternehmensprozesse nach ihrem Ziel, ihren Einflußfaktoren, den Methoden und Instrumentarien zur Umsetzung, den Ergebnissen sowie den Beispielen für Nutzen, Fehlleistungen und nach spezifischen Kennzahlen aufgeschlüsselt.

Entsprechend Kapitel 3 und dem Beispiel in Abschnitt 5.1 dient die Matrix zur Untersuchung der Unternehmensprozesse und gibt Hinweise, welche Fehlleistungen vermieden werden können und mit welchen Methoden und Instrumentarien eine verbesserte Umsetzung des Prozesses vorgenommen werden kann.

ANALYSE DES UNTERNEHMENSPROZESSES NACH QUALITÄTSRELEVANTEN BEWERTUNGSKRITERIEN

BLOCK A: LEITUNG UND KOORDINIERUNG

Unternehmens-prozeß	Zielfunktionen	Einflußfaktoren	Methoden, Instrumentarien zur Umsetzung	Ergebnisse	Beispiele für Nutzen	Fehler	Kennziffern
Nr. Text	(1)	(2)	(3)	(4)	(5)	(6)	(7)
1 LEITUNG UND KOORDI-NIERUNG	Festlegung der Grundsätze, Strategien, Ziele, Mittel und Bedingungen für kundengerechte Produkte	- Markt Marktforderung Kundenforderung Marktposition Wettbewerb Dynamik der Bedürfnisentwicklung - Gesellschaft politisches und juristisches Umfeld, Wertesysteme z.B.: soziologisch, kulturell und ökologisch, normativ/technische Grundlagen - Organisation Unternehmenspolitik Rechtsform Anteilseigner Träger	- Regelwerke - kooperative Unternehmensführung - Sytemtechnik - Planungstechnik - Brainstorming - Workshop - Kartentechnik - Portfolio - Bedürfnis-, Bedarfs- und Marktforschung - QM-System - Controlling - Forschung	- Richtlinien - Planungsdokumente - festgelegte Politik der Organisation - Gesellschaftsvertrag, Statut, Satzung - Planbilanzen - Wettbewerbsportfolio - Planungs- und Organisationsgrundlagen - Unternehmenskultur	- Sicherung der Kundenzufriedenheit - Langfristige Gewinnerwirtschaftung - Langfristige gesellschaftliche Akzeptanz - Zufriedenheit des Personals - Erhöhung der Qualitätsfähigkeit	- Defizite von/an Systemelementen - Zielabweichung - falsche Strategie - schlechte Kooperation - falsche Markteinschätzung - Unkorrekte Planbilanzen - unzureichende Personalplanung - falsche Positionseinschätzung	- QM-Systemniveau (z.B. Erfüllungsgrad) - Zielerfüllungsgrad z.B.: Qualität, Kosten, Zeitfaktor, Produktivität - Bilanzkennzahlen - Marktanteil/-wachstum

ANALYSE DES UNTERNEHMENSPROZESSES NACH QUALITÄTSRELEVANTEN BEWERTUNGSKRITERIEN

BLOCK A: LEITUNG UND KOORDINIERUNG

Unternehmens-prozeß		Zielfunktionen	Einflußfaktoren	Methoden, Instrumentarien zur Umsetzung	Ergebnisse	Beispiele für Nutzen	Fehler	Kennziffern
Nr.	Text	(1)	(2)	(3)	(4)	(5)	(6)	(7)
1.1	Oberste Leitung	- Festlegung Politik, Grundsätze - Zielvereinbarung - Ressourcen-bilanzierung - Verwirklichung und Verantwortung der Ziele	- Führungsstil und -verhalten - Kompetenzen - Überwachungszyklus - Erfolgsbewertungs-prioritäten (kurz-, mittel-, langfristig) - Unternehmensgröße - Leitungshierarchie	- Vorbildgeprägtes Verhalten - strategische und operative Management-systeme - dokumentierte Führungsgrundsätze - Management by Objectives - Klassisches Management (Planung, Organisation, Controlling) - Konzeptionen - TQM - QM-Dokumentationen - Managementreview - Self-Assesment - Coatching - Kennziffernsysteme	- Kundenorientierung - Qualitäts-, einschl. umweltorientierter Unternehmens-führung - Einbeziehung des Personals - Qualitätsfähigkeit der Prozesse - Flexibilität bzgl. dynamischer Markt-forderungen	- Kundenzufrieden-heit - langfristiger Unter-nehmenserfolg - Zufriedenheit des Personals - Entlastung von operativen Tätig-keiten zu Gunsten strategischer Führung	- ungeklärte Verantwortung - unvollständige Info-Leistung - finanzielle Verluste des Unternehmens u.U. bis zum Konkurs	- Realisierungsgrad der Entscheidungen - Marktanteil - Umsatzentwicklung - Fehlerkosten
1.2	Dienst-leistungen intern z.B.: Controlling, Allgemeine Verwaltung, Personal-management	- Kundenorientiertes Schnittstellen-management - Prozeßorientierte Aufbauorganisation - QMS-Dokumente - Ressourcen-bilanzierung - Info-Aufbereitung	- Prozeßvielfalt - Marktdynamik - Ressourcen - Grad der Selbst-organisation	- Personal-entwicklung - Personalführung - Review/Audit/ Award - Prozeßmanagement	- Verbesserung der Qualifikation - Bereitstellung von Informationen - Bereitstellung der erforderlichen Infrastruktur - Aufgaben-bilanzierung	- Motiviertes Personal - Erschließung von Verbesserungs-potentialen - Ökonomisch fundierte Entscheidungen - zielorientierte Steuerung von Prozessen	Nicht zielorientierte - Festlegung von Qualifikations-kriterien - Ressourcennutzung - Informationser-fassung und -weitergabe - Kalkulation - Marktanalyse	- Qualifikations-entwicklung - Kapazitätsaus-lastung - Bestandsent-wicklung - Kundenzufrieden-heitsindex - Fluktuationsrate - Zufriedenheitsgrad des Personals - Merkmalser-füllungsgrad

ANALYSE DES UNTERNEHMENSPROZESSES NACH QUALITÄTSRELEVANTEN BEWERTUNGSKRITERIEN

BLOCK A: LEITUNG UND KOORDINIERUNG

Unternehmens-prozeß		Zielfunktionen	Einflußfaktoren	Methoden, Instrumentarien zur Umsetzung	Ergebnisse	Beispiele für Nutzen	Fehler	Kennziffern
Nr.	Text	(1)	(2)	(3)	(4)	(5)	(6)	(7)
1.3	Lenkung der Dokumente	Festlegungen zum Umgang mit Dokumenten - Zuständigkeit für Erstellung, Änderung, Austausch und Identifikation - Regelungen zur Archivierung und Wiederauffindbarkeit	- Organisationsstruktur - Stand Normen/ Gesetze - Qualifikationsniveau - Informationsbedarf - Verständigungsgrundlagen	- Verfahrensanweisung - DV-Software	- Verfügbarkeit aktueller Dokumente - Datentransparenz und -sicherheit	- Nachweis der Q-Fähigkeit im Unternehmen - Verringerung der Zugriffszeiten - Absicherung und Vervollkommnung des Know-Hows - Sicherung der Rückverfolgbarkeit	- falsche Merkmalsfestlegung - falsche Info-Wege und -empfänger - Datenverlust - Fehlinterpretation	- Revisionsintervall - Änderungshäufigkeit - Rückverfolgbarkeitsdauer - Änderungsaufwand
1.4	Lenkung fehlerhafter Produkte	- Risikominimierung - Imagewahrung - Eliminierung von Fehlern - „Schadensbegrenzung"	- Fehlerart - Fehlerklassifikation - Korrigierbarkeit des Fehlers	- Fehlerbewertung - Verfügungsentscheidung z.B.: Aussonderung, Nachbehandlung, Sonderverwertung	- „Schadensbegrenzung" - nachgebesserte Produkte - Vermeidung externer Fehler	- Sicherung der Kundenzufriedenheit - Vermeidung von Schadenersatzansprüchen - Nutzbarmachung fehlerhafter Produkte	- Verfügungsfehlentscheide z.B.: Ausschuß statt Nacharbeit bzw. Nacharbeit statt Ausschuß	- Verhältnis interner/externer Fehlerkosten - Verhältnis Ausschuß/Nacharbeitskosten - Anzahl Fehler - Fehlertrends
1.5	Korrekturmaßnahmen	- Analyse der Fehlerursachen und Sicherung bzw. Wiederherstellung der Q-Fähigkeit der Prozesse - Vorbeugende Fehlervermeidung	- Fehlererfassung - objektive Fehlerursachenzuordnung (keine Schuldzuweisung) - Regelungsfähigkeit der Prozesse - Einräumen von Entscheidungskompetenz	- Fehlerursachenanalyse z.B.: Ishikawa, TOPS, FMEA, SPC, DOE - Fähigkeitsanalyse - Projektmanagement	- Reduzierung der Fehlerhäufigkeit - Reduzierung von Verschwendung	- Verbesserung der Q-Fähigkeit - Senkung der Fehlerkosten	- Auftreten von Wiederholfehlern - Fehlerhafte Prozeßregelung	- Fehlerhäufigkeit - Entwicklung der Fehlerkosten - Verhältnis von Fehlerkosten zu Korrekturmaßnahmenkosten

ANALYSE DES UNTERNEHMENSPROZESSES NACH QUALITÄTSRELEVANTEN BEWERTUNGSKRITERIEN

BLOCK A: LEITUNG UND KOORDINIERUNG

Unternehmens-prozeß		Zielfunktionen	Einflußfaktoren	Methoden, Instrumentarien zur Umsetzung	Ergebnisse	Beispiele für Nutzen	Fehler	Kennziffern
Nr.	Text	(1)	(2)	(3)	(4)	(5)	(6)	(7)
1.6	Interne Auditierungen *(Im Sinne von TQM wird die Anwendung von Audit-technik zum Aufspüren weiterer Verbesserungs-potentiale auf alle Prozesse erweitert)*	- Verifizierung und Verbesserung der Wirksamkeit des QM-Systems	- Anforderungs-charakteristik - Normen und normativ-technische Regelungen - Marktforderungen - Vorbereitung und Umsetzung durch das TOP-Management	- Fragebögen - Checklisten - Befragungen - DV-Software - Verbesserungs-programme	- Audit-Bericht - Korrekturmaß-nahmen - Verbesserungs-programm - Projektplan	- Identifizierung von Verbesserungs-potentialen - Vorbereitung zur Zertifizierung - Förderung des innerbetrieblichen Wettbewerbs - Aktivierung des Managements - Förderung der Gruppendynamik	- „Scheininstrumen-tarium" - nicht unternehmens-zielorientierte Kriterienauswahl - nicht konsequente Umsetzung der als notwendig erkannten Maßnahmen	- Erfüllungsgrad - Anzahl und Gewichtung der Abweichungen - Trendkennziffer - Verbesserungs-potential
1.7	Schulung	- Qualifizierung des Personals in Richtung „Humanpoten-tialentwicklung" - Anreicherung von Kenntnissen - Erweiterung von Fähigkeiten - Vervollkommnung der Sozialkompetenz - Training von Problemlösungs-situationen	- Anforderungsniveau - vorhandene Qualifikation - Qualifikations-defizite - Vorbildwirkung des Managements - Budgetlimits	- Ausbildung - Weiterbildung - Training - Qualitätszirkel - Learning by doing - Training on the job - Problemlösungs-gruppen - Workshops	- Vervollkommnung der Qualifikation - Veränderung des Sozialverhaltens - Befähigung zu Problemlösungen - Ausprägung des Führungsverhaltens - Verbesserung der Kooperations-fähigkeit	- Erhöhung der Leistungsfähigkeit und -bereitschaft - Erhöhung der Kreativität und Flexibilität - Verbesserung von Unternehmens-kultur und Betriebsklima - Identifikation mit den Unternehmens-zielen - Bestreben zur Selbstorganisation	- Fehleinschätzung des Schulungsbedarfs - nicht zielorientierte Schulung - unzureichende Nutzung des Bildungspotentials	- Schulungstage pro Person - spezifischer Schulungsbedarf - Bildungsaufwand - Qualifikations-niveau - Anwendungsgrad

ANALYSE DES UNTERNEHMENSPROZESSES NACH QUALITÄTSRELEVANTEN BEWERTUNGSKRITERIEN

BLOCK A: LEITUNG UND KOORDINIERUNG

Unternehmens-prozeß	Zielfunktionen	Einflußfaktoren	Methoden, Instrumentarien zur Umsetzung	Ergebnisse	Beispiele für Nutzen	Fehler	Kennziffern
Nr. Text	(1)	(2)	(3)	(4)	(5)	(6)	(7)
1.8 Information	- Absicherung von unternehmenszielorientierten Informationen - Strukturierung, Lokalisierung und Determinierung von Daten - Transparenz von betrieblichen Prozessen	- Info-Bedarf - Info-Möglichkeit - Info-System - Info-Speicherung - Info-Erfassung	- Ermittlung - Verarbeitung - Speicherung	- Verständigungs-, Beschaffenheits-, Verfahrens- und Verhaltensgrundlagen - Entscheidungsgrundlage und -ergebnis	- Entscheidungsfundierung (Fakten statt Meinungen) - Risikominimierung - Erhöhung der Reaktionsfähigkeit	- Info-Defizit - Fehlentscheidung - Info-Überangebot	- Info-Verarbeitungskapazität - Info-Verarbeitungsgeschwindigkeit - Info-Horizont - Info-Vorlauf - Info-Aufwand zur Info-Struktur - Info-Bedarfsdeckung
1.9 Identifikation und Rückverfolgbarkeit	- Unterscheidung von Produkten nach definierten Merkmalen - Lückenlose Analyse des Produktentstehungsprozesses zum Zwecke der Risikominimierung	- Merkmalsvielfalt - Anspruchsklassen - Meßbarkeit der Merkmale - Datendokumentation - Betriebsorganisation - Produktkomplexität - Risikofaktoren - Sicherheitsfaktoren	- Ordnungs- und Kennzeichnungssysteme - DV-Engeneering - Ablauforganisation - Prüfergebnisse	- Produktzuordnung zu definierten Merkmalen - Rückverfolgbarkeit im Produktentstehungsprozeß	- Sicherung rationeller Organisation - Eindeutigkeit der Produktzuordnung - Risikoeingrenzung - Schadensbegrenzung - Know-how Anreicherung	- Fehlidentifikation - Informationsstocken	- Anzahl Kennzeichnungsfehler - Grad der Rückverfolgbarkeit - Erfüllungsgrad der Rückverfolgbarkeit

ANALYSE DES UNTERNEHMENSPROZESSES NACH QUALITÄTSRELEVANTEN BEWERTUNGSKRITERIEN

BLOCK B LEISTUNGSPROZESSE

Unternehmens-prozeß	Zielfunktionen	Einflußfaktoren	Methoden, Instrumentarien zur Umsetzung	Ergebnisse	Beispiel für Nutzen	Fehler	Kennziffern
Nr. Text	(1)	(2)	(3)	(4)	(5)	(6)	(7)
1. Marketing	- Prognose und Planung der Forderungen	- Marktdifferenzierung - Marktdynamik - Produktstruktur - Innovationsfähigkeit	- Portfoliotechnik - Quality Function Deployment - Kundenkommunikation	- Anforderungskatalog - Lastenheft - Marktpenetration	- Marktorientierte Planung des Leistungsangebotes - Image - Wettbewerbsposition	- Unzureichende Widerspiegelung der Marktbedürfnisse	- Planungszeiträume - Imageprofil - Potentialeinsatz
1.1 Bedarfs-/ Marktforschung	- Erkennen der Kundenanforderung - Erkennen des Grads der Bedürfnisbefriedigung - Ermittlung der Kundenzufriedenheit - Analyse existierender Präferenzstrukturen - Erschließung von Marktpotentialen	- Dynamik der Bedürfnisentwicklung (Analyse, Vergangenheit, Prognose, Zukunft) - Aktualität der Information - Internationalisierung - Bewertungsmöglichkeiten der Erfordernisse - Globalisierung der Märkte	- Konsumentenbefragung - Markt-/ Kundenbeobachtung - Literatur-/Inhaltsanalysen - Experimente - Kundenzufriedenheitsanalysen - Trendanalysen (Panels) - Allianzen (für Systemlösungen)	- Qualitative, quantitative und zeitlich strukturierte Informationen zu zukünftigen Produktforderungen und Rahmenbedingungen zu deren Umsetzung (auch Umweltinformationen)	- Längerfristige Markteinschätzungen - Risikominderung von Fehlentwicklungen - Verfügbarkeit eines Frühwarninstrumentes - Umweltorientierung - Trenderkennung - Initiierung von Innovationen	- Unvollständige bzw. unrichtige Informationen - Fehlinterpretation der Kriterien - Trendmanipulation	- Vollständigkeitsgrad - Aktualitätsgrad - Informationsstruktur (Menge, Zeit, Kosten, Qualität)

ANALYSE DES UNTERNEHMENSPROZESSES NACH QUALITÄTSRELEVANTEN BEWERTUNGSKRITERIEN

BLOCK B LEISTUNGSPROZESSE

Unternehmens-prozeß	Zielfunktionen	Einflußfaktoren	Methoden, Instrumentarien zur Umsetzung	Ergebnisse	Beispiel für Nutzen	Fehler	Kennziffern
Nr. Text	(1)	(2)	(3)	(4)	(5)	(6)	(7)
1.2 Produkt-politik	- Quantifizierung der Kundenforderungen - Bewertung und Durchsetzung der Marktwirksamkeit von Produkten (z. B. Preis-/Leistungsverhältnis, Umwelt) - Anpassung des Produktspektrums an Kundenforderungen	- gesetzliche Rahmenbedingungen - Kundendifferenzierung - Marktdifferenzierung und /-segmentierung - eigene technische und organisatorische Möglichkeiten - Möglichkeiten der Wettbewerber	- Kundenforschung - Conjoint Measurement - Patentanalyse - QFD	- Differenzierungsstrategien - Festlegung von Ressourcen - Festlegung von Zielmärkten (ggf. Standorten) - Zeitrahmen	- Planungsrahmen für Aktivitäten des Unternehmens - Marktanteile - Kundenzufriedenheit	- Nicht marktgerechte Produkte -- Unvollständigkeit -- falsches Preis-/Leistungsverhältnis - Nicht bereitgestellte Produkte (Opportunitätserträge)	- relativer Marktanteil - Preis-/Leistungsverhältnis - Wiederkäuferkennzahl
1.3 Distributionspolitik	- Verteilung der Produkte an die Kunden - Festlegung von Kunden- und Produktgerechten Absatzwegen	- gesetzliche Rahmenbedingungen - Marktstruktur - Kundenstruktur - Produkteigenschaften	- Marktbeobachtung - Kundenbefragungen - Händlerbefragungen	- Differenzierungsstrategien - Festlegung der Absatzwege - Standortentscheidungen - Auswahl von Zwischenstationen	- Optimale Präsenz beim Kunden	- Nichterreichen von potentiellen Kunden	- Absatzstruktur (Verhältnis von direktem Absatz zum Absatz über Zwischenhändler)

ANALYSE DES UNTERNEHMENSPROZESSES NACH QUALITÄTSRELEVANTEN BEWERTUNGSKRITERIEN

BLOCK B LEISTUNGSPROZESSE

Unternehmensprozeß	Zielfunktionen	Einflußfaktoren	Methoden, Instrumentarien zur Umsetzung	Ergebnisse	Beispiel für Nutzen	Fehler	Kennziffern
Nr. | Text	(1)	(2)	(3)	(4)	(5)	(6)	(7)
1.4 Wettbewerbsanalyse	- Qualitativer und quantitativer Vergleich der eigenen Produkte mit dem des Wettbewerbs - Definition von potentiellen Wettbewerbern - Standortbestimmung - Beobachtung der Strategie des Wettbewerbs	- Anzahl der Wettbewerber - Struktur der Wettbewerber - Möglichkeit der Informationsaufnahme und -Analyse - Globalisierung der Märkte - Innovationspotential	- Produktanalyse - Leistungsvergleich - Angebotsanalyse - Besuch von Messen - Analyse von Unterlagen/Prospekten	- Übersicht aller Wettbewerber mit Vor- und Nachteilen zum eigenen Produkt - Schwachstellenanalyse - Gegenstrategien (Produkt- und Distributionspolitik) - Differenzierungskonzepte	- Marktgerechtes Wettbewerbsverhalten - Schnelle Reaktion auf Aktionen des Wettbewerbs - Sensibilisierung für Marktveränderungen	- Fehlerhafte Trendeinschätzung - Nicht-detektieren strategischer Wettbewerber	- Primärdatenanteil - Veränderungen der Marktanteile - Anzahl der Produkte / Wettbewerber
1.5 Benchmarking	- Analyse von Bestlösungen zur Bedürfnisbefriedigung - vgl. 1.4	- Realität der Bestlösung - Verfügbarkeit von Informationen (Seriosität) - Verwendungszweck - Funktionsbereich	- Technologieanalyse - Organisationsanalyse - Humankapitalanalyse - Ökologieanalyse	- Produkt- und Verfahrens-Know-How	- Innovationen im Hinblick auf verbesserte Verfahren und Produkte (technische, ökologische oder ökonomische Gesichtspunkte)	- Nichtberücksichtigung rechtlicher, organisatorischer, wirtschaftlicher oder technischer Rahmenbedingungen - Fehlinvestitionen - Kriterienelimination	- technische, ökonomische, soziale, ökologische und sonstige Bewertungskriterien

103

ANALYSE DES UNTERNEHMENSPROZESSES NACH QUALITÄTSRELEVANTEN BEWERTUNGSKRITERIEN

BLOCK B — LEISTUNGSPROZESSE

Unternehmens-prozeß	Zielfunktionen	Einflußfaktoren	Methoden, Instrumentarien zur Umsetzung	Ergebnisse	Beispiel für Nutzen	Fehler	Kennziffern
Nr. / Text	(1)	(2)	(3)	(4)	(5)	(6)	(7)
1.5 Service-management	- Planung und Organisation von produktbegleitenden Servicemaßnahmen - Differenzierung durch „Special Skills"	- Produktcharakteristik - Marktstruktur - Kundenstruktur	- Serviceanalyse vgl. Benchmarking) - Wettbewerbsanalyse (Zusatzangebote) - Finanzierungsanalyse (Leasing, Kreditrahmen etc.)	- zusätzliche Kundenzufriedenheit - Differenzierung vom Wettbewerber	- Absatzsteigerung - Verbesserung der Absetzbarkeit von Produkten (z.B. bei hoher Komplexität)	- zusätzlicher Aufwand - Ausfallrisiko (Kredit- bzw. Leasingvergabe an insolvente Kunden) - unzufriedene Kunden durch Ablehnung von Finanzierungen	- Unternehmenserfolg - Annahmequote der Serviceleistungen durch die Kunden - Änderung der Absatzzahlen
1.6 Werbung	- Objektive Information von Kunden - Produktinformation von potentiellen Kunden - Absatzförderung	- Marktsituation - Erklärungsbedürftigkeit des Produktes - Qualität der Aussage	- Inserate und Spots in verschiedenen Medien (z.B. Zeitungen, Illustrierten, Fachpublikationen, Radio, Fernsehen) - Ausstellung auf Messen (Fachmessen vs. Publikumsmessen) - Referenzobjekte - Prospekte - Sponsoring (Sport, Kultur, Wissenschaft etc.)	- Kommunikation mit existierenden und potentiellen Kunden	- Erhöhung der Produktakzeptanz - Vertrauensbildung - Aufbau des Unternehmens-Images - Gesteigertes Kundeninteresse - Erhöhung des Bekanntheitsgrades - Zunahme des Absatzes - Wecken von Kundenbedürfnissen	- Verfehlen der Zielgruppe - Ungenaue Aussagen - „falsche Versprechungen"	- Produktakzeptanz - Absatzstatistik - Erreichungsgrad von Kunden - Mediakontrolle (z.B. Tausender-Preis) - Nachfragen

ANALYSE DES UNTERNEHMENSPROZESSES NACH QUALITÄTSRELEVANTEN BEWERTUNGSKRITERIEN

BLOCK B   LEISTUNGSPROZESSE

Unternehmens-prozeß	Zielfunktionen	Einflußfaktoren	Methoden, Instrumentarien zur Umsetzung	Ergebnisse	Beispiel für Nutzen	Fehler	Kennziffern
Nr. Text	(1)	(2)	(3)	(4)	(5)	(6)	(7)
1.7 Vertrags-gestaltung	- Eindeutige und für beide Seiten verbindliche Vereinbarung von Leistungs-umfang und Konditionen	- gesetzliche Rahmenbe-dingungen (Sittenwidrig-keit) - internationale Unterschiede in der Gesetzge-bung - Ausgangsdo-kumentation - Vertragsge-genstand	- technische, juristische und kaufmännische Vertragsüber-prüfung - Rahmen-verträge - Allgemeine Ge-schäftsbedin-gungen - Lasten- und Pflichtenheft	- Leistungs-Vertrag	- Beiderseitige Rechtssicherheit - Beseitigung evtl. vorhande-ner Unklar-heiten	- Mißverständ-nisse bei der Vertragsaus-legung - Nichterfüllbar-keit von verein-barten Lei-stungsmerk-malen	- Anzahl der Bearbeitungen vor der Unterschrift - Umfang der Rechtsausein-andersetzungen - Kosten von Rechtsstreitig-keiten - Kosten für ku-lanzbedingte Zugeständnisse

ANALYSE DES UNTERNEHMENSPROZESSES NACH QUALITÄTSRELEVANTEN BEWERTUNGSKRITERIEN

BLOCK B LEISTUNGSPROZESSE

Unternehmens-prozeß	Zielfunktionen	Einflußfaktoren	Methoden, Instrumentarien zur Umsetzung	Ergebnisse	Beispiel für Nutzen	Fehler	Kennziffern
Nr. Text	(1)	(2)	(3)	(4)	(5)	(6)	(7)
2. Forschung und Entwicklung	- Auswahl optimaler Lösungskonzepte - Verkaufsfähiges Produkt - Produktentwicklung - technische und organisatorische Produktionsvorbereitung - wissenschaftlich begründete Umsetzung einer Produkt- oder Prozeß-idee	- Technologieinnovation - Realisierungsbedingungen - Ressourcen - Simultaneous Engineering - Zeitfaktor - Potentialbegrenzung - Kostenlimitierung - Fertigungstiefe - Firmenniveau (Qualifikation, Kenntnisse der Entwickler) - Anteil eigener Verfahrensentwicklungen vs. Fremdentwicklungen - gesetzliche Rahmenbedingungen	- QFD - FMEA, - DOE - Design Review - Wertanalyse - Technologischer Variantenvergleich	- Pflichtenheft - normativ /technische Dokumentation	- Innovationsgrad - Erhalt der langfristigen Wettbewerbsfähigkeit	- Abweichung von der optimalen Lösung - Abweichung von den vorgegeben Zielfunktionen - zu hoher Material- und Zeitaufwand	- Anzahl der Lösungsansätze - Zeit- und Kostenaufwand - Entwicklungsdauer - Qualitätszuwachs zum Entwicklungsaufwand - Änderungen in der Serie - Fehlerkosten bezogen auf die Herstellkosten, Gesamtleistung und die Wertschöpfung

ANALYSE DES UNTERNEHMENSPROZESSES NACH QUALITÄTSRELEVANTEN BEWERTUNGSKRITERIEN

BLOCK B LEISTUNGSPROZESSE

Unternehmensprozeß	Zielfunktionen	Einflußfaktoren	Methoden, Instrumentarien zur Umsetzung	Ergebnisse	Beispiel für Nutzen	Fehler	Kennziffern
Nr. Text	(1)	(2)	(3)	(4)	(5)	(6)	(7)
2.1 Wissenschaftliche /Technische/Wirtschaftliche Analyse (WTWA)	- Ermittlung von Lösungsvarianten - kostenminimierte Produkte - ökologische Produkte	- Funktionsrealisierung - Kostenzuordnung	- Wertanalyse - Patentrecherche - Konstruktionsbegleitende Kalkulation	- alternative Lösungsmöglichkeiten - Kostenminimierte Innovationen	- Gesellschaftlicher Goodwill	- Fehlkalkulation - Umweltverschmutzung - Kostenintensive Demontage von Produkten	- Innovationsgrad (Pionier-, Neu-, Weiterentwicklungen) - Recyclingquote - Verrotungsquote
2.2 Konzepterstellung	- Fixierung von Realisierungsbedingungen - Produktidee	- Potentiale - Budgets - Materiell, technische, humane Ressourcen - Entwicklungsstrategie	- Funktionsanalyse - Zielbaumanalyse - Morphologisches Schema	- Konzepte	- Bilanzierung der Potentiale/Kapazitäten	- Informationsdefizit (Meinung statt Fakten)	- Grad der Vereinheitlichung
2.3 Wissenschaftliche /Technische/Wirtschaftliche Bewertung (WTWB)	- Ableitung von Lösungen - Prüfen auf Machbarkeit	- Entwicklungsstrategie - Ressourcen - Potentiale	- Leistungsbewertung - Aufwandsbewertung	- Vorgaben	- Auswahl der optimalen Nutzung	- Fehlende und fehlerhafte Vorgaben	- „IQ"-Zuwachs am Produkt
2.4 Erzeugnisentwicklung	- Festlegung von Zielen, Mitteln und Bedingungen - Deckung von Kundenanforderungen und Produkteigenschaften	- Kompliziertheitsgrad - Patentsituation - Kundenkreis - Präzisierung und Leistungsabgrenzung	- FMEA - Design Review (z.B. Instandhaltungsgerecht, Recyclingfähigkeit) - Kundenforderungsanalyse	- Zeichnungen - Spezifikationen (z.B. Stücklisten, Rezepturen, Prüfvorschriften) - Serviceangebot	- leichte Pflege des Standardproduktes - optimale Gestaltung des Produktes	- Konstruktionsfehler - Fehlerhafte Dokumente - Kundenunzufriedenheit wegen Nichterfüllung der Forderungen	- Änderungshäufigkeit - Mehrkosten - Entwicklungsdauer

ANALYSE DES UNTERNEHMENSPROZESSES NACH QUALITÄTSRELEVANTEN BEWERTUNGSKRITERIEN

BLOCK B — LEISTUNGSPROZESSE

Unternehmens-prozeß	Zielfunktionen	Einflußfaktoren	Methoden, Instrumentarien zur Umsetzung	Ergebnisse	Beispiel für Nutzen	Fehler	Kennziffern
Nr. Text	(1)	(2)	(3)	(4)	(5)	(6)	(7)
2.5 Verfahrensentwicklung	- Innovation prozeßbestimmender technologischer Verfahren - Systematische Anweisungen zur Realisierung	- Verfahrensart (z. B. chem./techn./biol.)	- Technologischer Niveauvergleich - Fähigkeitsuntersuchungen - Applikationsentwicklung	- Verfahrensdokumentation	- Festlegung kostengünstiger Verfahren	- mangelhafte Definition von Verfahrensparametern - fehlerhafte Dokumente	- spezifische Verfahrenskosten
2.6 Prozeßentwicklung	- Strukturierung des technologischen und des Prüfprozesses - Reduzierung des Entwicklungsaufwandes bei Betriebsmitteln - bessere Bedienerfreundlichkeit bei Betriebsmitteln	- Komplexität des Prozesses (Unterschiedlichkeit)	- Optimierungsmethoden - Prozeß-FMEA - QFD - Fehlerbaumanalysen	- normative Richtwerte, Vorgaben - neuere, bessere Betriebsmittel	- leichtere Entwicklungsarbeit - gutes Image - ständiges „up to date"	- mangelhafte Definition von Prozeßparametern - mangelnde Integration von Prüfprozessen - mangelde Regelfähigkeit - schlechte Betriebsmittel - geringe Kundenakzeptanz	- Prozeßdauer - Anzahl der Prozeßschritte - Kostensenkung - „Fehlleistungsaufwand"
2.7 Erprobung, Nachweisführung und Zulassung	- Nachweis der Funktionsfähigkeit von Produkten - Nachweis der Stabilität technischer Prozesse - Funktionsfähigkeitsprüfung	- Neuheitsgrad - Fertigungsart (z. B. Einzel- vs. Serienfertigung) - Kooperation (Anzahl der inner- und außerbetrieblichen Zulieferer)	- Produkt-, Prozeß- und Verfahrens-Audits - Zulassungsprüfung - DOE	- Produktdokumentation - Prozeßdokumentation - Fertigungsorganisation	- Risikominderung bei Marktfunktionen	- Fehler in der Dokumentation - Abweichung vom Pflichtenheft	- Erprobungsaufwand - Erprobungsdauer - Erprobungshäufigkeit

ANALYSE DES UNTERNEHMENSPROZESSES NACH QUALITÄTSRELEVANTEN BEWERTUNGSKRITERIEN

BLOCK B   LEISTUNGSPROZESSE

Unternehmensprozeß	Zielfunktionen	Einflußfaktoren	Methoden, Instrumentarien zur Umsetzung	Ergebnisse	Beispiel für Nutzen	Fehler	Kennziffern
Nr. Text	(1)	(2)	(3)	(4)	(5)	(6)	(7)
3 Realisierungsvorbereitung	- Disposition und Bereitstellung von Produktionsfaktoren - Festlegung von Prozeßabläufen	- Planungsstrategien - Beschaffungsstrategien - Komplexität des Produktes - Struktur der eigenen Planungssysteme	- Abstimmung der einzelnen Planungssysteme - Berücksichtigung vergangener Entscheidungen - Simulation - Scenario-Technik	- Dokumentation der Leistungserstellung - Gesamtorganisation der Leistungserstellung	- Vertrauensbildung in die eingesetzten Planungsinstrumente - Treffsicherheit	- fehlerbehafteter Planungsprozeß	- Vollständigkeit der Planung - Realitätsnähe - Aufwand
3.1 Personal	- Personalstruktur - Motivation - Personaleinsatz	- gesetzliche und tarifrechtliche Rahmenbedingungen - Technologische und organisatorische Voraussetzungen - Sozio-kultureller Hintergrund	- Qualifikation - Schulung - Personalentwicklung - Motivation - Personaleinsatzplanung	- flexibles, qualifiziertes und motiviertes Personal - Identifikation des Personals mit den Unternehmenszielen - hohe Arbeitszufriedenheit	- geringe Fluktuation - gutes Firmenimage	- fehlende Loyalität - demotiviertes, unflexibles und unqualifiziertes Personal - hohe Fluktuation und hoher Absentismus - schlechtes Firmenimage	- Motivationsgrad - Qualifikationsgrad - Fluktuationsquote - Krankheitsstatistik
3.2 Beschaffung	- Beschaffung der Roh-, Hilfs- und Betriebsstoffe sowie Personal	- Struktur des Beschaffungsmarktes - Typisierungsgrad	- Lieferantenbewertung /-beurteilung - Auditierung - Marktanalyse - Benchmarking	- Festlegung der Lieferanten - Bestellung - Einkauf - rechtzeitige Verfügbarkeit	- geringe Lagerkosten - Fehlerfreiheit der zugelieferten Teile	- hohe Fehlerquote - nicht-rechtzeitige Verfügbarkeit - falsche Eigenschaften - zu hohe Beschaffungskosten	- Einkaufskosten - Fehlerquoten - Lieferantenstatistik

ANALYSE DES UNTERNEHMENSPROZESSES NACH QUALITÄTSRELEVANTEN BEWERTUNGSKRITERIEN

BLOCK B — LEISTUNGSPROZESSE

Unternehmens-prozeß	Zielfunktionen	Einflußfaktoren	Methoden, Instrumentarien zur Umsetzung	Ergebnisse	Beispiel für Nutzen	Fehler	Kennziffern
Nr. Text	(1)	(2)	(3)	(4)	(5)	(6)	(7)
3.3 Anlagen	- Bereitstellung technologischer Ausrüstung und Infrastruktur	- Kapitalmarkt - Investitionsbereitschaft	- Asset-Management - Investitionsrechnung - Wertanalysen - Anlagenplanung	- Moderne Anlagen - Optimale Ersatzzeitpunkte	- Flexibilität der Anlagen - Produktivität der Anlagen - hohe Konkurrenzfähigkeit	- veraltete Anlagen - hohe Ausfallraten - geringe Flexibilität - geringe Produktivität - falsche Investitionen - geringe Konkurrenzfähigkeit	- Alter der Anlagen - Investitionsquote - Ausfälle
3.4 Finanzielle Mittel	- Breitstellung von Liquidität in angemessenem Umfang	- Rechtsform der Unternehmung - Kapitalmarkt - Verfügbarkeit	- Finanzplanung - Controlling	- finanzielle Flexibilität - Liquidität	- Unabhängigkeit - Ausnutzung von Lieferantenrabatten	- Finanzierungslücken - mangelnde Liquidität - Konkurs	- Liquiditätsgrad
3.5 Hilfsleistungen							Entwurf
3.6 Information	- Bereitstellung von Informationen	- EDV-Infrastruktur - Komplexität des Unternehmens	- EDV-Technik - Executive Information-Systems (EIS) - Software - Kennzahlen	- Bereitstellung der richtigen Information zur richtigen Zeit am richtigen Ort - Verdichtung der Informationen	- Beschleunigung von Entscheidungen - Flexibilität - Reaktionsschnelle - Erhöhung der Sensibilität	- Informationsflut - Fehlinformationen	- Anzahl der Berichte - Nutzungsfrequenz - Nutzungsgrad

ANALYSE DES UNTERNEHMENSPROZESSES NACH QUALITÄTSRELEVANTEN BEWERTUNGSKRITERIEN

BLOCK B: LEISTUNGSPROZESSE

Unternehmens-prozeß	Zielfunktionen	Einflußfaktoren	Methoden, Instrumentarien zur Umsetzung	Ergebnisse	Beispiele für Nutzen	Fehler	Kennziffern
Nr. Text	(1)	(2)	(3)	(4)	(5)	(6)	(7)
4 REALISIE-RUNG	- Produktherstellung bei materiellen Produkten - Leistungserbringung bei immateriellen Produkten - Optimierung der Prozeßabläufe	- Art der Produkte - Komplexität der Produkte - Grad der Kooperation (z.B.: Anzahl Kunden, Anzahl Lieferanten, Anzahl interne Produktionsstätten) - Planungsgrundlagen	- Prüftechnik - SPC - Instandhaltung - Gruppenarbeit	- Fertigprodukt - Produktbegleitende Dokumente	- Erfüllung von Kundenforderungen - Erschließung von Verbesserungspotentialen	- Ausschuß - Nacharbeit - Wertminderung - Budgettüberschreitung - unzureichende Dokumentation	- Fehlerkosten - Abweichungskennzahlen - Prozeßfähigkeitsindex
4.1 Realisierungsablauf	- Optimale Nutzung der bereitgestellten Ressourcen - Erfüllung der Forderungen - Steuerung optimaler Prozeßabläufe - Material- und Informationsfluß-organisation	- Niveau des technischen Prozesses - Prozeßfähigkeit - Interne/Externe Lieferbeziehung - Arbeitsteilung	- optimale Losgröße - Just in time - KANBAN - Transportoptimierung - Verbesserungsprogramme	- Produkte in Menge, Qualität, Kosten, Termin pro Zeiteinheit - Präzisierte Planungsgrundlagen	- verbesserte Kapazitätsauslastung - Übergang zu Lean-Production - Erfüllung differenzierter Kundenforderungen - Erhöhung der Flexibilität	- Durchlaufzeitverlängerung - Überhöhte Materialbestände - Budgetüberschreitungen	- Produktivität - Fehlerquote - Fehlerkosten - Cpk-Werte - Durchlaufzeit - Zyklusdauer - Kapazitätsauslastung - Rüstzeitanteil - Dispositionsaufwand - Bevorratungsdauer
4.2 Prüftechnischer Nachweis	- Nachweis der Erfüllung der Qualitätsforderungen am Produkt und Prozeß und Ergebnisdokumentation	- Differenziertheit der Qualitätsforderungen - Pflicht zur Nachweisführung - Prozeßfähigkeit - Qualität des Prüfprozesses	- Inprozeßprüfung - Postprozeßprüfung - CAQ - Messen, lehren, beobachten, u.ä. - Datenaufbereitung - Datenspeicherung - Datensicherung	- Prüfdaten - Informationen zum Produkt und Prozeß - Prüfdokumentation	- Transparenz des Prozeßverlaufes - Fehlerprophylaxe - Steuerung der Prozesse - Risikominimierung	- fehlerhafte Prüfdaten - Fehlidentifikation von Produkten und Prozessen (z.B.: Ausschuß)	- Prüfhäufigkeit - Prüfumfang - Spezifische Fehlerhäufigkeit - Prüfkosten
4.3 Ressourcensicherung	- Erhaltung und Verbesserung der personalparitzipation	- Personalpartizipation - Unternehmenskultur	- Schulung - Gruppenarbeit	- zufriedenes, leistungsfähiges	- Anreicherung von Arbeitsinhalten	- Überhöhte Abwesenheitsquote	- Personalausfallrate - Materialausmut-

ANALYSE DES UNTERNEHMENSPROZESSES NACH QUALITÄTSRELEVANTEN BEWERTUNGSKRITERIEN

	nellen, materiellen, technischen und finanziellen Ressourcen	- Anforderungsniveau - Materialflußgestaltung - Instandhaltungsart - Kapitalmarkt	- just in time - Bestandsanalyse - Planmäßig vorbeugende Instandhaltung - Budgetplanung	Personal - optimale Bestände - qualitätsfähige Anlagen - optimale Verwertung der finanziellen Mittel	- Reduzierung von Materialkosten - Erhöhung der Anlagenverfügbarkeit - Verbesserung des ROI	- Leistungsdefizite - diskontinuierliche Materialbestände (z.B.: Materialbestandskosten, Nutzungsausfälle) - Havarieerparatur - überhöhter Finanzbedarf	zungsgrad - Materialumschlag - Anlagenausfallrate - Nutzungsgrad - Kapitalumschlag

ANALYSE DES UNTERNEHMENSPROZESSES NACH QUALITÄTSRELEVANTEN BEWERTUNGSKRITERIEN

BLOCK B: LEISTUNGSPROZESSE

Unternehmens-prozeß		Zielfunktionen	Einflußfaktoren	Methoden, Instrumentarien zur Umsetzung	Ergebnisse	Beispiele für Nutzen	Fehler	Kennziffern
Nr.	Text	(1)	(2)	(3)	(4)	(5)	(6)	(7)
5		- Sicherung der qualitätsgerechten Verfügbarkeit beim Kunden	- Art der Produkte - Vertriebssystem - Beratungs- und Servicebedarf - Standards/Normen	- Verträge - Marketingmethoden (z.B.: Vertriebswege) - Logistikinstrumente	- Kundenzufriedenheit - Unternehmenserfolg - Arbeitsplatzsicherung	- Neukundengewinnung - Folgeaufträge	- Kundenverlust - Imageverlust - Umsatzverlust	- Kundenzufriedenheitsindex - Termineinhaltung - Preisminderung
5.1	Transport, Lagerung, Verpackung, Konservierung, Versand	- qualitätsgerechter Vertrieb des Produktes zum Kunden	- Art der Produkte - Standards/Normen - Lagerungs- und Transportbedingungen - Vertriebswege	- Logistiksysteme - Hol- oder Bringsysteme - just in time - KANBAN - Versand-Audit	- schadensfreies Produkt - Termineinhaltung	- Logistikkostenminimierung - Verminderung von Produktschäden	- Lagerungs- und Transportschäden - Terminverzug - Mengendifferenzen	- Logistikkosten - Transportschäden - Fehlerrate - Anzahl bedarfsbedingter Fehlprodukte
5.2	Inbetriebnahme	- Anerkennung der Erfüllung der Qualitätsforderungen durch den Kunden	- Anwendungs- und Inbetriebnahmebedingungen - Erprobungsumfang - Relevanz der Qualitätsforderungen	- Prüfverfahren - Inbetriebnahmevorschrift - Betriebsanleitung - Anwenderschulung - Checkliste	- Qualitätsfähigkeitsnachweis - Forderungsgerechtes Produkt - Vertragserfüllung	- Vermeidung von Rechtsstreitigkeiten - Minimierung externer Fehlerkosten - Erhöhung des Vertrauensverhältnisses zum Kunden	- Produktmängel - Nacharbeit - Gewährleistung	- Fähigkeitsindex - Mängelhäufigkeit - Inbetriebnahmekosten - Unterweisungskosten

ANALYSE DES UNTERNEHMENSPROZESSES NACH QUALITÄTSRELEVANTEN BEWERTUNGSKRITERIEN

BLOCK B: LEISTUNGSPROZESSE

Unternehmens-prozeß	Zielfunktionen	Einflußfaktoren	Methoden, Instrumentarien zur Umsetzung	Ergebnisse	Beispiele für Nutzen	Fehler	Kennziffern
Nr. Text	(1)	(2)	(3)	(4)	(5)	(6)	(7)
6 Nutzung	- Befriedigung von Anwenderbedürfnissen - Inanspruchnahme realisierter Qualitätsforderungen	- Anwendungsbedingungen - Nutzungsdauer - Instandhaltungsnotwendigkeit - Serviceorganisation	- Betriebsanleitung - Bedienungsanleitung - Planmäßig vorbeugende Instandhaltung - Anwendungsbeobachtung	- Zuverlässiges Produkt - schnelle Wiederverfügbarkeit	- hohe Verfügbarkeit - Anwenderzufriedenheit	- Produktausfall und Ausfallfolgen - Qualitätsminderung - Servicedefizite	- Ausfallrate - Fehlerkosten - Beanstandungshäufigkeit - Instandhaltungsaufwand
6.1 Beratung/ Schulung	- Befähigung des Anwenders zur optimalen Produktnutzung	- Erklärungsbedarf - Anwender-know-how und Motivation - Produktinnovation	- Produktdokumentation - Anwenderschulung	- qualifizierte Anwender - Kundenkommunikation	- optimale Produktnutzung - Beseitigung von Markteintrittsbarrieren - Initierung von Innovationen	- Informationsdefizit - unvollständige Nutzung der Beschaffenheitsmerkmale	- Beratungsumfang - Schulungsbedarf - Anwenderzufriedenheit
6.2 Kundendienst	- Gewährleistung der Qualitätsforderungen im Lebensdauer- bzw. Vertragszyklus d.h.: - Erhaltung der Produktqualität - Flexibles Reagieren auf zusätzliche Qualitätsforderungen der Anwender - Erfassung von Qualitätsforderungen für notwendige Innovationen	- Beeinträchtigung der Qualität in der Nutzung (z.B.: Verschleißverhalten) - Zusätzliche Qualitätsforderungen in der Nutzung - Bedürfnisentwicklung beim Kunden	- Kundendienstnetz - Kundenkommunikation - Wartung - Inspektion - Instandsetzung - Datenrückmeldesysteme - Informationsanalyse	- Erhaltung der Qualitätsfähigkeit - Verbesserung der Produktmerkmale - Marktinformationen	- Anwenderzufriedenheit - Zuverlässige Marktinformationen - Initierung von Innovationen - Kunden-Feed-Back	- Havarierreparatur - Ersatzteilmangel - Dienstleistungsdefizit - Nutzungsausfall - Markteinbußen	- Anzahl Kundenkontakte - Instandhaltungshäufigkeit - Ergänzungsbedarf - Kundendienstaufwand - Kundendienstpreise pro Leistungseinheit - Produkthaftungsaufwand

ANALYSE DES UNTERNEHMENSPROZESSES NACH QUALITÄTSRELEVANTEN BEWERTUNGSKRITERIEN

BLOCK B: LEISTUNGSPROZESSE

Unternehmens- prozeß	Zielfunktionen	Einflußfaktoren	Methoden, Instrumentarien zur Umsetzung	Ergebnisse	Beispiele für Nutzen	Fehler	Kennziffern
Nr. Text	(1)	(2)	(3)	(4)	(5)	(6)	(7)
7 ENTSOR-GUNG	Schadlose Eliminierung der stofflichen Substanzen zum Ende des Nutzungszeitraumes durch z.B.: - Lieferant - Anwender - Dritte (spezialisierte Organisationen)	- Ressourcenknappheit - Schadstoffgehalt - Recyclingfähigkeit - Rechtsgrundlage (z.B.: Verursacherprinzip) - Vertragsgestaltung (z.B.: Rücknahmen von Kunden)	- Stoffrückführung (z.B.: Recycling, Wiederverwendung) - Besetigung (z.B.: Verbrennung, Neutralisation) - Deponierung - Stoffbilanzierung	- Stoffwiederverwendung - Stoffweiterverwendung - Stoffvernichtung - Stoffablagerung	- Ressourcenerhaltung - Verminderung der Umweltbelastung - Erhaltung von Öko-Systemen - Organisierte Ablagerung	- Falsche Entscheidung bei der Methodenfestlegung - Ressourcennutzung - Schadstoffkonzentration - Ressourcenverschwendung - Umweltschäden - Aufwandsverlagerung (z.B.: auf die Gesellschaft)	- Entsorgungsaufwand - Anteil Wieder- bzw. Weiterverwendung - Stoffbilanzstruktur

8.III Ausgewählte Beispiele zu Kennzahlen

KENNZAHLEN IM MARKETING

Kennzahl	Meßgröße	Bezugsgröße
Deckungsbeitrag pro Produkt	Erlös – variable Kosten	produktspezifisch
Kundenbindungsgrad	Anzahl Kunden, vom Jahresanfang bis -ende	Anzahl Kunden am Jahresanfang
Marketinganteil	Marketingaufwand der Periode	Umsatz der Periode
Marktanteil (absolut)	Eigener Umsatz	Umsatz des bedienten Marktes
Marktanteil (relativ)	Eigener (abs.) Marktanteil	Summe der absoluten Marktanteile der drei größten Konkurrenten
Preis (relativ)	Eigener Preis	Durchschnittlicher Preis der drei größten Konkurrenten
Qualitätsindex	Prozent von Umsätzen aus Produkten, deren Qualität derjenigen der Konkurrenten überlegen ist.	Prozent von Umsätzen aus Produkten, deren Qualität derjenigen der Konkurrenten unterlegen ist.
Umsatzerlöse	Menge	Wert (gesamt, pro Produkt, ...)

KENNZAHLEN IN FORSCHUNG UND ENTWICKLUNG

Kennzahl	Meßgröße	Bezugsgröße
Entwicklungsdauerkoeffizient	Entwicklungsdauer	Produktlebenszyklus
Korrekturkoeffizient	Anzahl Korrekturmaßnahmen	Anzahl durchgeführter Entwicklungs Audits, Reviews, etc.
"Fehlleistungs"-Anteil	Fehler (wertmäßig)	geplante Gesamtkosten
Zeitüberschreitungsfaktor	geplante Zeit + Zeitüberschreitung	geplante Zeit
F & E-Anteil	F & E-Aufwand der Periode	Umsatz der Periode
Eigenleistungskoeffizient	Eigenleistung	Gesamtleistung
Anzahl der Änderungen bedingt durch den Kunden	–	–
Anzahl neuer/verbesserter Produkte pro Periode	–	–
Anzahl erfolgreicher Entwicklungen	–	–
Anzahl abgebrochener Entwicklungen	–	–

FEHLER IN FORSCHUNG UND ENTWICKLUNG

Kennzahl	Meßgröße	Bezugsgröße
Anzahl der Änderungen (Selbstverschulden)	–	–
Aufwand während der Herstellungsphase – für Produktentwicklungsfehler – für Verfahrensentwicklungsfehler	–	–
Reklamationsaufwandsanteil	Reklamationsaufwand	Produkthaftungsaufwand

KENNZAHLEN IN DER REALISIERUNGSPHASE

Planung, Bereitstellung von Produktionsfaktoren und Herstellung

Kennzahl	Meßgröße	Bezugsgröße
Auslastungsgrad (Personal)	Tätigkeitsdauer	Schichtdauer
Prozeßauslastungsgrad	erbrachte Prozeßleistung (Prozeßproduktion)	mögliche Prozeßleistung (Prozeßkapazität)
Prozeßnutzungsgrad (Betriebsmittelnutzungsgrad)	Hauptnutzungszeit des Prozesses	max. mögliche Nutzungszeit des Prozesses
Materialnutzungsgrad	Gewicht nach Fertigstellung	Rohgewicht des Materialeinsatzes
Material-Umschlags-Häufigkeit	Gesamtverbrauch des Materials	Durchschnittsbestand des Materials, z. B. monatlich/ auftragsspezifisch
Nacharbeitsanteil	Nacharbeitszeit	Belegungszeit [5]
Sortier-Quotient	Anzahl der notwendig zu sortierenden Teile	Gesamtanzahl der Teile
Anzahl zugelieferter Fertigprodukte	–	–
Anzahl Fertigungs-Mitarbeiter	–	–
Anzahl Fertigungs-Qualitätsprüfer	–	–

FEHLER IN DER REALISIERUNGSPHASE

Kennzahl	Meßgröße	Bezugsgröße
Fehlbelegungen	– Über-, Unterkapazität – Personaldefizite	–
Materialverluste (Kosten)	Kosten bzw. Aufwände aufgrund von nicht mehr verfügbaren Materialien	–
Materialverfügungen	– Ausschuß – Nacharbeit, Nachsortieren etc. – Tolerierungen (mit positiv recall)	
Außerplanmäßige Umrüstungen	außerpl. Werkzeugwechsel	Periode z. B. monatlich
Außerplanmäßige Instandsetzungen	außerpl. Instands.-Kosten	Periode z. B. monatlich
Reparaturquote	Reparaturzeit	Belegungszeit [5]
Störungsdauer	Stillstand, Störung	pro Werkzeug pro Vorrichtung pro Bedienungspersonal pro Material
Betriebsmittelfehlleistung	Betriebsmittel, welche die Qualitätsforderungen nicht erfüllen	z. B. Gesamtanzahl Betriebsmittel
Informationsfehlleistungen	fehlerhafte, unvollständige, nicht vorhandene, Informationen (z. B. PPS, BDE, etc.)	
Kosten durch Problem- und Fehleranalysen	–	–

KENNZAHLEN IN DER DISTRIBUTION

Kennzahl	Meßgröße	Bezugsgröße
Verpackungsausschußanteil	Anzahl fehlerhafter und/oder beschädigter Verpackungen	Anzahl der Gesamtverpackungen
Lager-Nutzungsgrad	genutzte Lagerkapazität	Gesamt-Lagerkapazität
Lagerumschlag	Gesamtbedarf	Durchschnittsbestand [5]
Lager-Bestandsanteil	Durchschnittsbestand	Auftragbestand [5]
Liefertreue	Anzahl der verspäteten Lieferungen	Anzahl der Gesamtlieferungen
Lieferbereitschaftsgrad	–	–
Retourenanteil	Anzahl der Retouren	Gesamtzahl der Lieferungen
Transportauslastungsgrad	tatsächliche Transporte	Transportkapazität
Inventurdifferenz	errechneter buchmäßiger Bestand	Wert bei körperlicher Aufnahme des Bestandes

FEHLER WÄHREND DER DISTRIBUTION

Kennzahl	Meßgröße	Bezugsgröße
Lieferungen mit Produktfehlern	Anzahl der Lieferungen mit Produktfehlern	Anzahl der Gesamtlieferungen
Transportschadensanteil	Anzahl der Lieferungen mit Transportschäden	Anzahl der Gesamtlieferungen
Falschlieferungsanteil	Anzahl der Falschlieferungen	Anzahl der Gesamtlieferungen
Lagerausschuß	Lagerauschußkosten	Gesamtlagerkosten
Altbestand	(Absolutzahl – > aus Inventurliste zu entnehmen)	–
Fehlbuchungen	Summe der Fehlbuchungsbeträge (Absolutzahl)	–

KENNZAHLEN IN DER NUTZUNG

Während der Nutzung des Angebotsprodukts durch den Kunden

Kennzahl	Meßgröße	Bezugsgröße
Ausschußanteil Rückweisungsanteil	Ausschußmenge Rückweisungsmenge	Produktionsmenge Produktionsmenge
Serviceanteil	Anzahl der Serviceaufträge	Anzahl der gesamten Aufträge
Serviceeffizienz	Durchschnittliche Reaktionszeit des Kundendiensts	durchschnittliche Bearbeitungszeit des Kundendiensts
Ersatzteilanteil	Durchschnittliche Anzahl benötigter (bevorrateter) Ersatzteile pro Produkt	Gesamtanzahl verwendeter Teile
Reaktionsdauer des Kundendienstes	Zeitraum zwischen Reklamationseingang und dem Zeitpunkt der Behebung	–
Servicedauer für die Fehlerbeseitigung	–	–
Instandhaltungszusatzanteil	planmäßige Instandhaltung	außerplanmäßige Instandhaltung (Oberbegriff für Wartung, Inspektion, Instandsetzung - und Nachrüstung)
Schadenshäufigkeit	Anzahl der Schadensfälle	Gesamtanzahl der Produktauslieferungen
Ausfallanteil	Anzahl der Ausfälle der ausgelieferten Produkte	Gesamtanzahl der Produktauslieferungen
Gewährleistungszeitraum	Festgelegte Frist vom Hersteller oder Gesetzgeber für ein Nicht-Versagen des Produktes (Monate, Jahre)	–
Anzahl Reklamationen innerhalb der Garantiezeit der Produkte	–	–
Anzahl Reklamationen nach der Garantiezeit der Produkte	–	–

Kennzahl	Meßgröße	Bezugsgröße
Mindestlebensdauer	Mindest festgelegter Zeitraum vom Nutzungsbeginn bis zum Ausfallzeitpunkt nach dem die Funktionsfähigkeit des Produkts nicht wieder hergestellt werden kann.	–
Time to First Failure (TTFF)	Zeit bis zum ersten Ausfall	–
Mean Time between Failure (MTBF) mittlerer Ausfallabstand	Mittlere Betriebszeit zwischen zwei Ausfällen	–

FEHLER WÄHREND DER NUTZUNG

Kennzahl	Meßgröße	Bezugsgröße
Gewährleistungsaufwand	verschuldungsab- und unabhängiger Haftungsaufwand	–
Kulanzkosten für Nacharbeit, Wandlung, Minderung	–	–
Garantiekosten für Nacharbeit, Wandlung, Minderung	–	–
Altbestände	(Absolutzahl – > aus Inventurliste zu entnehmen)	–
Fehlbuchungen	Summe der Fehlbuchungsbeträge	–
Servicefehlleistung	Fehlleistungen, die während der Serviceaktivitäten auftreten, z.B. falsche Ersatzteile geordert	–
Betriebsqualität	Anzahl Fehlerart	Summe Fehler

KENNZAHLEN ZUR ENTSORGUNG NACH DER PRODUKTNUTZUNG

Kennzahl	Meßgröße	Bezugsgröße
Entsorgungsanteil	Entsorgungsaufwand	Herstellkosten
Recyclingsanteil	Recyclingaufwand	Gesamt-Entsorgungsaufwand
Deponierungsanteil	Aufwand für Deponierung	Gesamt-Entsorgungsaufwand
Recycling-Massen-Anteil	Masse recycelbarer Bauteile bzw. Produkte	Gesamtmasse der Bauteile bzw. Produkte
Kosten durch Umweltschäden (Umwelthaftung)	–	–
Kosten durch Vernachlässigung unterschiedlicher Abfallklassen (erhöhter Deponierungs- oder Recyclingaufwand)	–	–

DURCHSCHNITTSWERTE ÜBER ALLE PHASEN

Kennzahl	Meßgröße	Bezugsgröße
Investitionen, Abschreibungen	–	–
Personalqualifikation	–	–
Kapazitätsauslastung	Istkapazität	Plankapazität
Anzahl Produkte	–	–
Anzahl „kritischer" Produkte	Anzahl störungsanfälliger Produkte	–
Anzahl Verfahren, Prozesse, Abläufe	–	–
Anzahl „kritischer" Verfahren, Prozesse, Abläufe	Anzahl fehler- und störungsanfälliger Verfahren, Prozesse und Abläufe	–
Durchlaufdauer je Produkt	–	–
Plan-Ist-Vergleich – Leistungserreichung – Mengenansätze pro Wertschöpfungsschritt nach Kosten (Zeit) und Kostenstelle – Erreichung der Produktkosten/Verfahrenskosten (Serie) – Verschleißteil-Umfang		

NOTIZEN

NOTIZEN

NOTIZEN

NOTIZEN